Raios e trovões

CIP-BRASIL. CATALOGAÇÃO NA PUBLICAÇÃO
SINDICATO NACIONAL DOS EDITORES DE LIVROS, RJ

C241r

Capelas, Bruno
Raios e trovões : a história do fenômeno Castelo Rá-Tim-Bum / Bruno Capelas. - 1. ed. - São Paulo : Summus, 2019.
240 p.

Apêndice
Inclui bibliografia e índice
ISBN 978-85-323-1138-2

1. TV Cultura - História. 2. Castelo Rá-Tim-Bum (Programa de televisão). I. Título.

19-59045 CDD: 791.4572
CDU: 791.242:654.172

Meri Gleice Rodrigues de Souza - Bibliotecária CRB-7/6439

Raios e trovões

A história do fenômeno *Castelo Rá-Tim-Bum*

Bruno Capelas

RAIOS E TROVÕES
A história do fenômeno Castelo Rá-Tim-Bum

Editora executiva: **Soraia Bini Cury**
Assistente editorial: **Michelle Campos**
Capa: **Buono Disegno**
Projeto gráfico e diagramação: **Crayon Editorial**

Summus Editorial
Departamento editorial
Rua Itapicuru, 613 – 7º andar
05006-000 – São Paulo – SP
Fone: (11) 3872-3322
Fax: (11) 3872-7476
http://www.summus.com.br
e-mail: summus@summus.com.br

Atendimento ao consumidor
Summus Editorial
Fone: (11) 3865-9890

Vendas por atacado
Fone: (11) 3873-8638
Fax: (11) 3872-7476
e-mail: vendas@summus.com.br

Impresso no Brasil

À Sil, pelas salsichas com ketchup e
pelas aulas com "limite".

Ao Ludy, pelos discos na vitrola em
intermináveis sábados à noite.

À Bia, pela caminhada e pelas madrugadas
com o controle remoto na mão.

"Tinha dezessete dólares na carteira.
Dezessete dólares e o medo de escrever.
Sentei-me ereto diante da máquina e empurrei os dedos.
[...]
Olhei e molhei meus lábios. Não eram palavras minhas,
mas que diabo, um homem tinha de começar por algum lugar."
(John Fante, *Sonhos de Bunker Hill*,
tradução de Caio Fernando Abreu)

"E eu não sabia que a minha história era mais
bonita que a de Robinson Crusoé."
(Carlos Drummond de Andrade, "Infância")

Sumário

1. A fila e a festa

Avenida Europa, bairro dos Jardins, São Paulo. O endereço intimida quem passa por ali de ônibus. Também, pudera: além das mansões da elite paulistana e do Club Athletico Paulistano – onde essa elite se diverte desde o início do século 20 –, o logradouro é conhecido informalmente como a "avenida dos carrões". Marcas como Ferrari, BMW, Audi, Jaguar, Porsche, Lamborghini, Bentley e Aston Martin – o carro preferido do espião inglês James Bond – têm lá suas concessionárias, que atraem fãs do Brasil todo em busca de motores e cavalos. Muitos deles podem nem ter dinheiro para pagar nem a estrela de metal que identifica os carros da alemã Mercedes-Benz, quanto mais um carro inteiro. Não importa: o que vale é sentir o clima de luxo e velocidade por uma manhã.

No segundo semestre de 2014, a avenida Europa atraiu um tipo de público diferente. Gente de tudo que é canto de São Paulo chegava no começo da madrugada para formar fila, enquanto caravanas viajavam horas noite adentro pelo interior paulista e por estados vizinhos para participar da "festa". O mais curioso é que o processo se repetia quase todas as noites: as pessoas começavam a chegar por volta da meia-noite, aproveitando o fim do horário de funcionamento do transporte público, e se ajeitavam pela calçada da avenida. Lanches, celulares e até mesmo um eventual banquinho ou cadeira de praia se punham a postos, e a conversa entre desconhecidos avançava até o sol raiar, esperando por um mágico adesivo amarelo. "Vida social do paulistano é na fila ou no transporte público", justificou Emerson Santos, 34, um dos muitos aventureiros que pegaram a fila de madrugada[1].

Distribuído por volta das 7h da manhã, o distintivo não era o passe para entrar no camarim ou no hotel cinco estrelas de nenhum ídolo adolescente ou *rockstar* que estivesse na região. Apenas era a garantia de visita a *Castelo Rá-Tim-Bum – A Exposição*, mostra realizada pelo Museu da Imagem e do Som de São Paulo (MIS-SP). Inicialmente, o museu só abria às 12h. Com a demanda do público, o horário de abertura foi mudado duas vezes – primeiro para as 11h e, depois, para uma hora mais cedo. As visitas duravam até as 21h, transformando a avenida dos carrões em um local mais movimentado também nas calçadas.

Com o público em alta, a mostra também atraiu vendedores ambulantes – pipoqueiros, barraquinhas de cachorro-quente e gente tentando vender badulaques de toda sorte. O movimento começou a incomodar os moradores da região, que reuniram 150 assinaturas contra o MIS-SP. "O museu está destruindo parte do Jardim Europa. A rua já foi considerada a mais bonita do bairro e acabou. Estamos desesperados", disse Maria Aparecida Brecheret, que liderou a manifestação, ao jornal *Estado de S. Paulo*.[2] "Os ônibus param no meio da rua, que enche de carro e buzinas. Fica um horror logo de manhã, é difícil de aguentar."

Nos tristes trópicos, houve até quem falasse em pedir a remoção do museu, presente desde 1970 na vizinhança. Bobagem. "Não respondi, porque é uma manifestação visivelmente semelhante àquela de Higienópolis, quando anunciaram que construiriam uma estação de metrô e os moradores disseram que não queriam 'gente diferenciada' por perto", declarou André Sturm, diretor do MIS-SP, em nota distribuída à imprensa na ocasião. A polêmica não acabou em pizza, mas em churrasco: para protestar contra os moradores do Jardim Europa, um grupo de cem pessoas se reuniu para assar carnes na rua de trás do museu.

O mais surpreendente da confusão é que ela foi causada por uma exposição inspirada em um programa que estreara na televisão havia mais de 20 anos. Mais: que não teve continuidade e, quando voltou a ser exibido na TV aberta, poucos meses antes da abertura da mostra, não chegou a atingir 3 pontos no Ibope. O inexplicável, porém, faz parte da magia por trás do *Castelo Rá-Tim-Bum*.

Afinal, que feitiço poderia ser maior do que a chance de entrar no castelo do Dr. Victor, perguntar ao Porteiro qual é a senha de hoje, ler uma poesia com o Gato Pintado, fazer uma experiência científica com Tíbio e Perônio ou sentar nos banquinhos móveis da cozinha? Ver o Ratinho atravessando a sala de música ou ouvir o Mau correndo pelos encanamentos do castelo? E que tal entrar no quarto do Nino usando uma porta giratória secreta igual à do programa? Tudo isso era possível na exposição do MIS-SP.

Habituada a receber mostras que homenageavam ícones da arte como David Bowie e Stanley Kubrick, a instituição fez do *Castelo* sua primeira mostra inspirada na cultura pop brasileira. "Sempre quisemos fazer algo relacionado à cultura brasileira. Com os 20 anos do *Castelo*, achamos que valia a pena tentar", diz André Sturm. Segundo ele, o MIS-SP trabalhou durante um ano na exposição, em parceria com a TV Cultura. "O *Castelo* é um marco sem precedentes na nossa TV, tendo influenciado gerações com conteúdo educativo e formato inovador."

No dia da estreia, 16 de julho de 2014, mais de 1,7 mil pessoas esperaram debaixo de garoa e frio pela chance de uma *selfie* com a cobra Celeste e para ver a exibição, que se espalhava pelos dois andares do MIS-SP. *Castelo – A Exposição* propunha aos seus visitantes uma interação lúdica com o castelo em mais de dez ambientes, como o hall e a biblioteca. Além de oferecer a qualquer um a sensação de estar na casa dos Stradivarius, a mostra ainda tinha figurinos desenhados por Carlos Alberto Gardin e alguns dos bonecos projetados por Jésus Seda – dois nomes centrais da criação do *Castelo* –, bem como documentos e imagens de arquivo da emissora. Ao todo, eram cerca de 200 fotografias inéditas, 19 figurinos e 31 peças originais.

O grande mote da exposição, porém, não era feitiçaria – era tecnologia. "A gente não queria que fosse só uma exposição museológica, onde o público fosse passivo. Trouxemos a tecnologia para as pessoas não só olharem, mas sentirem como eram as coisas no *Castelo*", contou Marcelo Jackow, diretor da Case Lúdico, empresa responsável pela cenografia, ao *O Estado de S. Paulo*. Entre as tecnologias utilizadas, estavam holografia, pisos interativos e sensores de vibração, capazes de saber se uma pessoa se aproximou de um boneco na mostra e fazer as mágicas criaturas responderem às ações dos visitantes.[3]

A mostra se tornou um sucesso, sendo prorrogada duas vezes pela demanda do público. E que demanda: ao todo, 410 mil pessoas visitaram a exposição em São Paulo, encerrada apenas em 25 de janeiro de 2015. Não foi só: a mostra do *Castelo* também foi exposta no Centro Cultural Banco do Brasil, no Rio de Janeiro – ao longo de três meses, a exposição teve cerca de 190 mil visitantes. Em seu dia de abertura, em 12 de outubro de 2015, a mostra bateu o recorde de visitas em um único dia da instituição, com 12.989 pessoas, superando "rivais" como Pablo Picasso e Wassily Kandinsky.

Pouco tempo depois, a TV Cultura e a direção do Memorial da América Latina aproveitaram boa parte do material já criado para a mostra do MIS para criar *Rá-Tim-Bum, o Castelo*, uma nova exposição aberta no espaço idealizado pelo arquiteto Oscar Niemeyer, na zona oeste de São Paulo. Mais de 800 mil pessoas puderam conferir a mostra, que ficou disponível ao público entre março de 2017 e fevereiro de 2018 – e depois seguiu carreira pelo país. A primeira parada foi realizada em Campinas, no Shopping Center Iguatemi, com mais de 100 mil visitantes. Depois, a mostra seguiu para Ribeirão Preto – onde foi visitada por mais de 50 mil pessoas –, São José do Rio Preto e para outras capitais, como Rio de Janeiro e Porto Alegre.

Para os profissionais envolvidos na produção do *Castelo*, o ciclo de exposições – seja a do MIS ou a do Memorial da América Latina –, às duas décadas da criação do programa, foi mais que uma oportunidade de celebrar o aniversário da atração. "Fiquei felicíssimo: é como ser exposto em um museu em vida. É muito difícil ser reconhecido como figurinista", diz Carlos Alberto Gardin. "Imagina se eu pudesse conhecer a Jeannie, o Maxwell Smart do *Agente 86*? É o que está acontecendo nessa exposição. É uma viagem no tempo mesmo", comenta Angela Dippe, a Penélope. Para Jésus Seda, a exposição mostrou que o *Castelo* deixou de ser da Cultura e das pessoas que o produziram e virou patrimônio nacional. "Na próxima vez que fizerem um disco para a sonda Voyager, vai ter o *Castelo Rá-Tim-Bum* lá dentro."

Produzido pela emissora pública TV Cultura entre 1992 e 1994, em parceria com a Federação das Indústrias de São Paulo (Fiesp), com custo de US$ 3 milhões (em valores da época)[4], o *Castelo* teve no MIS-SP um novo capítulo de sua história de sucesso. Mais de duas décadas depois de sua estreia, em 9 de maio de 1994, seus 90 episódios ainda são transmitidos pela emissora paulista e se transformaram em referência de qualidade quando o assunto é televisão infantil no Brasil. Publicados no YouTube no início de 2016, os capítulos do *Castelo* somam mais de 45 milhões de visualizações na internet, seguindo um rastro que também deixou suas marcas na história da TV Cultura. Em suas primeiras exibições, o programa conquistou média de 8 pontos no Ibope – seu auge foi em julho de 1996, com 12 pontos, o que colocou a TV Cultura em segundo lugar na preferência dos telespectadores, alcançando mais de 800 mil pessoas todas as noites apenas na Grande São Paulo.

Ao longo de duas décadas, o *Castelo* foi motivo para uma dezena de peças de teatro, um longa-metragem, uma coleção de livros que foi *best-seller* e fez o trânsito da cidade de São Paulo parar, um jogo de videogame, vários discos de música para crianças e um sem-número de produtos licenciados, que ajudariam a TV Cultura a faturar mais de R$ 30 milhões, segundo estimativas do mercado. Além disso, bem como outros programas da Cultura, o *Castelo* deu espaço para personalidades importantes do cinema, teatro, literatura e televisão do país mostrarem seu trabalho pela primeira vez – e depois ganharem espaço nos Jogos Olímpicos, no Festival de Cinema de Sundance, no Oscar e em prêmios de literatura de destaque.

Números e láureas, porém, talvez sejam apenas um jeito frio de reafirmar a importância do *Castelo*. As grandes obras de arte se medem não apenas com estatísticas, mas também com o impacto com que atingem seus espectadores. No caso do *Castelo*, são pelo menos três gerações de crianças brasileiras. Por trás da história maluca de um menino-feiticeiro de 300 anos de idade e sem amigos para brincar, há uma vontade enorme de tentar fazer meninos e meninas conhecerem e aprenderem tudo que for possível, baseada na ideia construtivista de que, dentro do contexto correto, é possível ensinar qualquer coisa a alguém – da poesia de Manuel Bandeira e de obras de Leonardo da Vinci a conhecimentos básicos de saúde, higiene e ciências.

Nascido como um trabalho de conclusão de curso de faculdade, *Raios e trovões* é uma tentativa de entender a mágica do *Castelo Rá-Tim-Bum*. Compreender como, em meio a um dos piores momentos econômicos da história brasileira, a TV Cultura conseguiu fazer não só este, mas uma série de programas ousados, seja na estética ou no conteúdo, e marcar época. Como se verá nas próximas páginas, o *Castelo* é apenas o ponto alto de uma trajetória de mais de duas décadas de produções infantis próprias, em um caminho pavimentado por atrações como *Vila Sésamo*, *Bambalalão*, *Rá-Tim-Bum* e *Mundo da Lua*. Juntos, todos esses programas foram importantes para criar público, amadurecer experimentos e estabelecer as bases de uma grade de programação inteligente e atrativa.

Vamos lá? Então... "Morcego, ratazana, baratinha e companhia, está na hora da feitiçaria!"

2. O homem da antena

Toda grande ideia começa com uma faísca de inspiração. No caso da TV Cultura e do *Castelo Rá-Tim-Bum*, essa faísca veio de um curto-circuito que virou incêndio e por pouco não acabou com a sede da emissora – localizada na rua Cenno Sbrighi, no bairro da Água Branca, zona oeste de São Paulo. Tudo começou por volta das 4h da manhã do dia 28 de fevereiro de 1986 – poucos momentos antes de, por estranha ironia, o governo do então presidente José Sarney lançar o Plano Cruzado, que congelava os preços da economia brasileira para tentar conter a inflação galopante da época.

No meio da madrugada, um dos refletores do principal estúdio da emissora entrou em curto-circuito. A faísca logo fez o fogo se alastrar pelo local, cheio de materiais inflamáveis. Pouco a pouco, diversos prédios da emissora estavam em chamas. Chamados às pressas, os bombeiros demoraram até o meio-dia para conseguir isolar o fogo – mas não a fumaça, que vazou pelos circuitos de climatização e circulação de ar.

O que o fogo não queimou a fumaça fez questão de estragar. Ao final daquele dia, diversos estúdios da Cultura estavam destruídos ou inutilizados – incluindo o único que era capaz de transmitir os programas ao vivo da emissora. Além disso, vários equipamentos da área técnica estavam imprestáveis, incluindo sete ilhas de edição, o *switcher* (dispositivo capaz de alternar imagens de diferentes câmeras), o controle-mestre de imagens (aparelho que coloca no ar os vídeos em sequência) e o setor onde todos os programas gravados recentemente estavam armazenados[5]. No dia seguinte ao incêndio, os jornais paulistas estimaram o prejuízo da emissora em US$ 10 milhões. Sobraram na Fundação Padre Anchieta apenas três aparelhos de videoteipe e dois caminhões de externas para gerar a programação. Por sorte, o prédio do acervo de imagens, áudios e fotografias, conhecido como "as tecas" (corruptela de "bibliotecas"), permaneceu intacto.

Na confusão, a Cultura acabou ficando fora do ar por três horas e só conseguiu voltar a transmitir graças à ajuda de outras emissoras – a Bandeirantes emprestou equipamentos, enquanto a Globo e a Manchete cederam espaço em suas ilhas de edição e até mesmo imagens de cobertura para os telejornais. Assim que voltou ao ar, a emissora leu um comunicado sobre o incêndio e depois improvisou um telejornal esportivo. Pelos meses seguintes, a programação foi tocada nesse mesmo espírito: a maioria dos programas foi transmitida ao vivo, a partir do Teatro Franco Zampari – localizado na avenida Tiradentes, zona central da capital paulista.

A situação só começou a mudar cerca de quatro meses depois do incêndio. Foi quando uma nova gestão, liderada pelo jornalista Roberto Muylaert, assumiu o comando da Fundação Padre Anchieta – a entidade que administra as emissoras de rádio e TV da Cultura.

Mais do que apenas lidar com o cenário de terra arrasada, Muylaert viu que precisava reconstruir o pensamento corrente na emissora da Água Branca, marcada por mandos e desmandos ao longo dos últimos vinte anos. Um dos legados mais esquisitos das gestões anteriores acontecia no almoxarifado, que vivia desabastecido de fios, cabos e lâmpadas. Na época, a Cultura era informalmente conhecida como a "maior fornecedora de materiais para televisão da cidade de São Paulo", nas palavras do próprio Muylaert. Todos os dias, carros suspeitos chegavam à rua Cenno Sbrighi por volta das 17h. Quando saíam, horas depois, nenhum veículo passava por revista ou supervisão. "Qualquer um entrava no almoxarifado, cortava o que precisava e ia embora", lembra o presidente, que resolveu a questão de um jeito simples: colocar guardas na porta para policiar os carros que entravam. Nada mais aconteceu.

Financeiramente, a emissora era paupérrima, a ponto de apresentadores de telejornal dividirem o mesmo guarda-roupa. Em certo dia de 1986, fazia muito calor nos estúdios da Cultura – na época, a emissora não tinha ar-condicionado – e o âncora do telejornal suava. Uma gota caiu na gravata. Minutos depois, a mesma gravata aparecia, pingada, no colarinho do homem do tempo. Tempos bicudos.

Para começar, no entanto, era preciso reconstruir o que veio abaixo com as chamas. Com ajuda do governador André Franco Montoro, então no Partido do Movimento Democrático Brasileiro (PMDB), Muylaert conseguiu recursos para novos equipamentos, em um projeto de restruturação avaliado na época em US$ 8 milhões. Três anos após o incêndio, a emissora teria sete estúdios diferentes, incluindo o Teatro Franco Zampari, e mais de 190 equipamentos utilizáveis para a realização dos programas – eram 76 antes da catástrofe. Além disso, cada novo espaço de gravação tinha uma finalidade específica, criada a partir de um novo conceito de grade de programação da emissora. Tempos depois, Muylaert reconheceria que o incêndio lhe deu uma oportunidade de ouro para construir uma nova Cultura. Como diz o ditado: há males que vêm para o bem.

Não foi um processo fácil: no início de 1987, Montoro foi sucedido no governo do estado por Orestes Quércia, tradicional político de Campinas. A pressão sobre a Fundação Padre Anchieta foi grande: certo dia, Muylaert recebeu uma visita de Bete Mendes, nova secretária de Cultura do governo eleito. Militante política e atriz, Mendes veio informar que o novo presidente já estava escolhido. "É o Chico Santa Rita", em referência ao jornalista que havia chefiado o marketing da campanha de Quércia ao governo. Muylaert devolveu: "É o seguinte: eu tenho um mandato, eleito pelo Conselho Curador, e eu só saio do meu mandato quando acabar e se eu perder a eleição". Mendes ficou perplexa – e Quércia só faltou xingar quando recebeu a notícia. "Dinheiro eu não mando", teria dito o governador.

Mandos e desmandos dos governadores do estado de São Paulo dentro da Fundação Padre Anchieta – e, principalmente, na programação da TV Cultura – não eram exatamente uma novidade. A própria concepção da emissora como TV pública ajuda a gerar essa confusão. Fundada em 1969 pelo então governador paulista Roberto de Abreu Sodré, a Fundação Padre Anchieta é uma entidade de direito privado com autonomia administrativa e financeira, mantida em grande parte com recursos financeiros repassados pelo Estado. Ou seja, pelo dinheiro que sai do bolso do cidadão, via pagamento de impostos, como também acontece com a British Broadcasting Company (BBC) – no Reino Unido, a emissora é levada tão a sério que cada cidadão britânico que tem uma TV em casa paga uma taxa direcionada para a BBC, algo que não existe no Brasil. Aqui, o governo paga – mas não manda na emissora (ou não deveria). É diferente de uma TV estatal, na qual o Estado tem controle sobre o conteúdo.

Quem escolhe o comando da Fundação Padre Anchieta não é o governador do estado ou o secretário de Cultura, mas sim um conselho curador, formado por 47 membros – dois deles, póstumos. É uma seleção complexa: há 20 membros eleitos com cargos rotativos e 21 definidos por posições nos governos estadual e municipal e na sociedade civil – como secretários, reitores das universidades paulistas e presidentes de fundações ligadas à cultura e à educação. Fechando a conta, há um representante dos funcionários da FPA e três nomes vitalícios, escolhidos pela família Crespi, dona do terreno na Água Branca no qual a Cultura se instalou. Juntos, os 45 membros do conselho curador são responsáveis por eleger o presidente da Fundação Padre Anchieta e seus diretores, aprovar programas e orçamentos da emissora e zelar pelo Estatuto da FPA. Em especial, vigiar o artigo 3º do Estatuto, que não permite que a emissora seja utilizada como instrumento político ou partidário.

Dias depois da visita de Bete Mendes, chegou um aviso à Água Branca: o governador havia mandado suspender os repasses para suprir a folha de pagamento da Fundação Padre Anchieta. Em seu livro de memórias, *Faz pouco tempo*, Muylaert conta que a Cultura chegou a ficar três meses sem receber verbas do governo do estado. A situação o deixou em pânico – até o presidente ligar para Frederico Mazzuchelli, secretário do Planejamento da gestão Quércia e seu amigo pessoal. "Muylaert, fica tranquilo. Só me manda a folha de pagamento da Cultura", respondeu Mazzuchelli. Como mágica, todos os salários foram pagos no primeiro mês. E no segundo. E no terceiro também.

Curioso, Muylaert voltou a falar com Mazzuchelli para entender o que havia ocorrido. "A folha de pagamento do Metrô era enorme. A sua era pequenininha. Pus a sua no meio da do Metrô e o governador autorizou tudo."

Conseguir colocar novos estúdios em pé, porém, era apenas um dos problemas de Muylaert. Ele também precisava de recursos para estruturar uma nova programação – e o que vinha do caixa do governo do estado não era nada suficiente para isso. A saída mais óbvia para qualquer emissora – vender comerciais –, porém, era proibida para a Cultura por uma antiga questão contratual.

Antes da Cultura da Fundação Padre Anchieta, houve outra TV Cultura, lançada em 1960 por Assis Chateaubriand, o Chatô. Dono de um dos mais importantes grupos de mídia do país, os Diários Associados, Chateaubriand foi quem trouxe a TV ao Brasil, em 1950, inaugurando a Tupi. Dez anos depois, o empresário criou uma nova emissora, concebida como "um presente de cultura para o povo".

Exibida no canal 2, a Cultura de Chatô era uma TV comercial e durou menos de uma década – encerrando suas atividades em 1967, em meio à crise financeira dos Diários Associados e logo antes da morte do empresário. Ao vender a concessão de transmissão do canal 2 para o governo de São Paulo, dois anos depois, os advogados de Chatô incluíram no contrato uma cláusula marota. "Para evitar que um novo concorrente viesse a disputar o minguado mercado publicitário [com a TV Tupi, de propriedade do grupo], exigiram que, nas mãos do estado, o canal 2 jamais exibisse anúncios"[6], conta Fernando Morais em seu livro *Chatô, o rei do Brasil.*

Sem poder mostrar propagandas, a solução encontrada por Muylaert foi voltar ao passado. Nascido em 1935, na cidade de Santos (SP), Muylaert não era um novato no mundo cultural – muito menos na TV Cultura – quando assumiu a presidência da Fundação Padre Anchieta. Formado em Engenharia Civil pela Universidade Presbiteriana Mackenzie, Muylaert exerceu a profissão por pouco tempo. Ele queria mesmo era ser jornalista, mas na época ainda não havia faculdades da área no país. Trabalhou por algum tempo nas Máquinas Piratininga, onde escrevia um informativo semanal sobre os produtos da empresa. Foi o que bastou para ser convidado para escrever sobre indústria na Editora Abril, em 1964. Lá, foi um dos responsáveis pelo lançamento da revista *Exame* e editou a *Veja*, ainda em seus primeiros anos.

Enquanto esteve na Abril, Muylaert passou uma temporada nos Estados Unidos viajando e estudando em instituições como a Universidade Stanford. Lá, viu como empresas apoiavam professores e pesquisadores com recursos – muitas vezes, o financiamento acabava orientando as pesquisas científicas e eram reaproveitados na indústria. Também conheceu o modelo de TV pública, dentro de emissoras como a Public Broadcasting Service (PBS). "Voltei para o Brasil liberto de preconceitos", conta o jornalista, que quis pôr a prática à prova na Cultura. Não era permitido às marcas fazer comerciais ou propagandear seus produtos: só era possível falar o nome da empresa, e dizer que ela apoiava a produção de determinado programa.

Apoio cultural também não era um modelo novo na TV. Foi o que aconteceu com o programa infantil americano *Sesame Street*, que deu origem ao brasileiro *Vila Sésamo*, exibido pela Cultura entre 1972 e 1974. O *Sesame Street* original nasceu de uma parceria entre a PBS e a Fundação Carnegie, mantida pela família do industrial Andrew Carnegie, "o rei do aço". Ambos estavam preocupados com a qualidade da televisão infantil – na época, as crianças americanas em idade pré-escolar passavam uma média de 27 horas semanais diante da telinha. Por que não aproveitar isso para prepará-las para as salas de aula? A resposta veio com *Sesame Street*, feito pela produtora Children's Television Workshop (CTW) e exibido pela PBS a partir de 10 de novembro de 1969.[7]

Tal como uma revista, *Sesame Street* usava ritmos, estilos e durações diferentes de quadros – entre 12 e 90 segundos – para chamar a atenção das crianças e percorrer o currículo básico da pré-escola. Havia animações, pequenos esquetes de humor, músicas e muita cor. O principal, no entanto, eram os bonecos criados pelo manipulador Jim

Henson, como o vermelho Elmo, o pássaro Big Bird e os irmãos Ernie e Bert. Todos apareciam no cenário de uma rua de um bairro de periferia onde crianças, bonecos e adultos conviviam em uma atmosfera de aprendizado. Em sua primeira temporada, o programa marcou média de 3,3 pontos de audiência – o equivalente a 2 milhões de lares, na época, segundo medições da consultoria Nielsen. Cerca de 7 milhões de crianças assistiam ao programa todos os dias. Além dos altos índices de audiência, a série também foi chamada de "o melhor programa infantil da história" pela revista *Time* em 1970 – com direito até de o pássaro Big Bird estampar a capa da publicação.

Para Muylaert, o apoio cultural foi uma saída para que a Cultura deixasse de ser uma TV estatal e se tornasse uma TV pública. "Num lugar em que você precisa tomar dezenas de decisões por dia, ser estatal não funciona", costuma dizer o jornalista. "TV estatal é como o menino que fala que vai morar sozinho, mas continua recebendo mesada do pai." Em seus primeiros anos de mandato, Muylaert fez parcerias com empresas como Philco Hitachi (no esportivo *Vitória*), o Banco Real (no jornalístico *Repórter Especial*) e a hoje extinta empresa de aviação Vasp – para o documental *Planeta Terra* e a sessão de cinema *Cine Brasil*[8]. A ajuda, porém, nem sempre precisava ser diretamente financeira.

Em abril de 1988, Muylaert resolveu criar um programa que servisse como agenda cultural para a cidade de São Paulo. O nome era óbvio: *Metrópolis*, servindo também como referência ao filme homônimo do cineasta Fritz Lang, de 1928. O conceito do programa era interessante, havia equipe jornalística na casa para tal, mas faltava um bom cenário. Para resolver a questão, Muylaert deu outra de suas tacadas: ex-presidente da Bienal Internacional de São Paulo, o jornalista era íntimo de diversos artistas iniciantes na época, como Beatriz Milhazes, Siron Franco e Tomie Ohtake. A cada um, o presidente pediu gentilmente que fizessem quadros de 4,20 metros de extensão – suficientes para servir de cenário aos apresentadores do programa. Quando o *Metrópolis* mudou de cara, os quadros acabaram entrando para a "Pinacoteca da Cultura", coleção que até hoje está na Fundação Padre Anchieta e vale alguns milhões de reais.

Como bom jornalista, uma das principais promessas de Muylaert ao assumir a Cultura era cuidar da programação jornalística. Em uma de suas primeiras entrevistas no cargo, concedida à *Folha de S.Paulo*, ele disse que pretendia investir em programas jornalísticos. "[É uma] coisa que as outras emissoras pouco fazem, ficando restritas aos telejornais."[9] Na Cultura, porém, essa frase não era exatamente verdade – e parte da "culpa", por assim dizer, era do próprio Muylaert, em sua primeira passagem pela emissora.

Em 1977, ele e o também jornalista Carlos Queiroz Telles criaram um inovador programa de entrevistas, o *Vox Populi* – expressão em latim que quer dizer nada mais que "a voz do povo". O nome não era mera demagogia: ao contrário de programas convencionais de entrevistas, em que há um ou vários entrevistadores, no *Vox Populi* as perguntas eram feitas antes do programa por pessoas comuns, nas ruas de grandes cidades do país. As respostas, porém, eram concedidas pelo entrevistado ao vivo, em um programa semanal.

Uma delas, em específico, marcou época: a de Caetano Veloso. Em 1978, em uma de suas fases mais libertárias, Caetano foi ao programa e ouviu uma pergunta atravessada do jornalista Geraldo Mayrink sobre a "patrulha da imprensa". Ao responder, Caetano gerou uma frase que, anos depois, virou *meme* na internet: "Como você é burro, cara. Isso aí que você fala é burrice. Você fala de uma maneira tão burra que eu nem consigo entender o que você disse. Como você é burro, cara".

Muylaert, porém, não ficou muito tempo no programa – logo depois, o jornalista se dedicou a outras atividades, como coordenar o Festival Internacional de Jazz de São Paulo. Em duas edições, em 1978 e 1980, o evento trouxe à capital paulista nomes como BB King, John McLaughlin, Dizzy Gillespie, Chick Corea, Al Jarreau, Etta James, Stan Getz, Astor Piazzolla e o *reggaeman* Peter Tosh, parceiro de Bob Marley. Já Carlos Queiroz Telles, seu parceiro em *Vox Populi*, tocou o programa até 1986. No meio do caminho, virou diretor de programação da Cultura – só saiu do cargo quando Muylaert assumiu o comando da FPA. No lugar de Telles, entrou o também jornalista Roberto de

Oliveira, que já tinha passagens pela TV Bandeirantes e havia produzido espetáculos da cantora Elis Regina.

Juntos, os dois Robertos trouxeram um choque de gestão à grade da emissora. Na época, a Cultura tinha bons programas, mas muitas atrações descartáveis, concebidas apenas para agradar a um ou outro membro do conselho. A princípio, eram programas semanais, mas a pressão dos conselheiros foi tanta que esses projetos acabaram sendo remodelados para virar quinzenais, de forma que todos tivessem sua "boquinha".

Com os Robertos, isso acabou: a ideia era ter eficiência operacional e melhorar a qualidade da programação. Nessa nova ordem, programas antigos acabaram sendo renovados. O *Vox Populi*, por exemplo, se transformou no *Roda Viva*, no qual jornalistas dos principais veículos brasileiros circundavam, literalmente, um entrevistado específico. O programa continuava semanal e, na maior parte das vezes, ao vivo, mas cresceu de tamanho: durava 90 minutos, contra os 60 minutos do *Vox Populi*. Além da função jornalística, o *Roda Viva* também tinha seu lado de marketing: ao convidar um jornalista d'*O Estado de S. Paulo* para participar, por exemplo, era bastante provável que aquele próprio jornalista levasse seu público para a TV, multiplicando a audiência da Cultura.

A dupla também criou um telejornal diário, com âncora e opiniões: o *Jornal da Cultura*, pronto para fazer frente ao *Jornal Nacional* da TV Globo. Outro destaque de 1986 foi o *Vitória*, programa informativo sobre esportes que, com liberdade criativa, foi um dos primeiros a levar matérias sobre esportes radicais à televisão aberta. A novidade nos ângulos não vinha só no conteúdo, mas também na forma: se a matéria em questão era sobre alpinismo, por exemplo, os câmeras davam um jeito de inclinar seus aparelhos para captar uma imagem vertiginosa – literalmente.

Nos anos seguintes, além do já citado *Metrópolis*, os dois Robertos diversificaram sua atenção para além do jornalismo: em 1987, surgiram o *game show Enigma*, cujo visual era inspirado no Antigo Egito, e *A Cidade Faz o Show*, que mostrava as cidades do interior paulista.

Voltado para o público jovem, havia o *Vitrine*, com matérias sobre cultura e os programas da emissora. E houve até espaço para uma ressurreição: feito pela Cultura nos anos 1970, com direção de Fernando Faro, o *MPB Especial* se transformou no *Ensaio*. O programa marcou época com seu formato inusitado: um artista é convidado e apresenta suas canções. Entre elas, Faro faz perguntas ao artista – o espectador, porém, só ouve as respostas, dando ao programa certo caráter de espontaneidade.

A renovação na programação ajudou Muylaert a se assegurar no cargo: "Depois que eu fiquei um tempo no cargo, o Quércia começou a ver que a Cultura estava ficando importante", conta o jornalista. A confiança entre os dois era tanta que foi com Quércia que Muylaert conseguiu resolver um grande problema técnico da Cultura: sua antena de transmissão, que não alcançava muitos bairros de São Paulo.

No final dos anos 1980, a antena que transmitia as imagens da Cultura era definitivamente uma veterana: afinal, fora usada pela TV Tupi, em 1950, para fazer as primeiras transmissões da televisão brasileira. Na época, Assis Chateaubriand tinha encomendado uma antena especial para a altitude de São Paulo, com seus morros e acidentes geográficos, mas a encomenda demoraria algumas semanas. Com pressa de inaugurar a primeira TV da América do Sul, Chatô entrou em contato com a empresa de telecomunicações americana RCA e trouxe uma antena projetada para a cidade de Londres, conhecida por ser mais plana que São Paulo. Inicialmente, a torre de Chatô ficava no edifício Altino Arantes, mais famoso como a sede do Banespa. Em 1969, quando a Cultura se transformou em uma emissora pública, a antena foi transferida para o Pico do Jaraguá, "de onde o sinal televisivo poderia chegar com alguma qualidade não apenas à região metropolitana, mas também a Santos, Campinas, Sorocaba e São José dos Campos"[10].

Mas não era bem assim: ligado na potência máxima para alcançar o interior paulista, o sinal da Cultura rebatia nos prédios de São Paulo e não chegava a muitos bairros tradicionais da cidade, como Ipiranga, Paraíso, Santana e Jardins. Nessas zonas, só conseguia assistir à emissora quem tinha antena externa em casa – algo que só valia para os mais ricos. "Resultado: a TV Cultura era a emissora mais elitista do Brasil", narra Muylaert[11]. Além disso, havia outro problema: em muitos prédios, nos quais a antena era coletiva para os moradores, o canal 2 não estava disponível. Por quê? Com uma programação pouco atrativa para muita gente, a frequência era mais útil aos paulistanos como "regulador de sinal", deixando os outros canais mais bem ajustados.

Era um círculo vicioso: a audiência baixa dos programas da Cultura também acontecia porque a maioria dos telespectadores da Grande São Paulo não conseguia sintonizar o canal 2. Para resolver esse problema, Muylaert decidiu investir na construção de uma nova antena. Para tanto, alugou um terreno dos padres do Santuário Nossa Senhora de Fátima, no bairro do Sumaré, por 40 anos, e contratou o arquiteto Jorge Caron. Mais do que uma simples estrutura metálica, a antena da Cultura acabou virando parte da paisagem de São Paulo, com seu formato triangular em um dos pontos mais altos da cidade.

O projeto foi caro: US$ 5,5 milhões – boa parte deles em repasses do governo do estado liderado por Orestes Quércia. Como é digno a quem vem do interior paulista, Quércia era desconfiado que só, e apenas liberou os recursos à Fundação Padre Anchieta depois que Muylaert arregimentou o engenheiro José Carlos de Figueiredo Ferraz, responsável pela complexa estrutura do Museu de Arte de São Paulo (Masp), para supervisionar a obra. Faltava, no entanto, comprar os equipamentos necessários – e lá foi Muylaert, com o engenheiro José Munhoz, da Cultura, para a NAB Show, uma das principais feiras do setor de televisão, realizada em Las Vegas.

Chegando lá, Muylaert e Munhoz depararam com uma nova tendência tecnológica: a TV digital. Cheios de dúvidas, os dois passaram dias em Las Vegas perguntando detalhes aos técnicos das empresas presentes – a japonesa NEC e a americana Harris. Ao ligar para o Brasil, a desconfiança era geral: "Pô, mas nem a Globo comprou digital ainda, por que é que vocês vão comprar?" Muylaert estava inquieto: o preço do digital era mais baixo que o do analógico, porque era uma tecnologia ainda nova e com baixa demanda, além de oferecer mais estabilidade nas transmissões. Na hora H, Muylaert sentou de frente para Munhoz e disparou: "E aí, vamos pelo digital?" "Não sei, a Globo ainda não tem, tem de ver isso...", respondeu o engenheiro. "Mas ela um dia vai ter de ter, né?", completou Munhoz.

Dito e feito – e de quebra, a Cultura ainda aproveitou a torre triangular para instalar também uma antena de rádio FM para a rádio Cultura, que passou, dali por diante, a ter programação focada na música erudita. A inauguração, porém, levou tempo e só aconteceu em 1992, quando Quércia já havia passado o governo para as mãos de Luiz Antonio Fleury, também do PMDB. Foi, porém, o que a Cultura precisava para ver subir seus índices de audiência.

Se "ganhou" uma antena de Quércia, o governador de São Paulo fez Muylaert perder a parceria com Roberto de Oliveira tempos depois, em junho de 1989. No começo do mês, uma festa no comitê eleitoral de Ulysses Guimarães, candidato do PMDB às eleições presidenciais daquele ano, mostrou militantes pisoteando um cartaz com a cara de Quércia. "O texto era correto, mas as imagens eram hostis ao governador", disse Muylaert à *Folha de S.Paulo*. Prevendo problemas, Muylaert mandou uma advertência à equipe de jornalismo.

Bateu e levou: irritado, Oliveira pediu demissão com a interferência. Além disso, uma equipe de repórteres e editores decidiu seguir o chefe. Num impasse, Muylaert suspendeu os programas jornalísticos da casa e acabou ele mesmo renunciando a seu cargo – o pedido, porém, foi negado pelo conselho curador. Após diversas reuniões, o presidente acabou sendo reconduzido ao cargo – Oliveira, porém, já estava bem longe da Água Branca. Sem nenhum dos subordinados diretos de Oliveira à mão, Muylaert recorreu ao segundo escalão para seguir em frente.

"Beth, a partir de hoje, você assume a programação", disse Muylaert à escolhida. "Eu???", respondeu Beth Carmona, subordinada de Oliveira até aquela altura. "É, não tem jeito", disse Muylaert. Na primeira semana no cargo, a nova chefe do departamento de Programação mal conseguia dormir – uma de suas tarefas era cuidar do controle-mestre, que podia tirar a emissora do ar caso algo de errado acontecesse. Aos poucos, a relação entre os dois foi se azeitando, até que Carmona, formada em Rádio e TV pela Escola de Comunicações e Artes da Universidade de São Paulo (ECA-USP) no final dos anos 1970, virou o braço-direito de Muylaert na emissora.

Não que Carmona fosse marinheira de primeira viagem: ela estava na Fundação Padre Anchieta desde 1983, quando entrou na Rádio Cultura. Lá, ficou até 1986, quando Muylaert assumiu. Logo após o incêndio, a palavra de ordem para as rádios era corte de custos – e quase todos os funcionários foram demitidos. Carmona acabou ficando porque já tinha alguma experiência com vídeo e conhecia bem a estrutura da emissora, uma vez que uma de suas tarefas na rádio era justamente fazer boletins de divulgação e comunicação interna da Fundação. Ao chegar à TV, encontrou um clima aberto e de colaboração, a ponto de Roberto de Oliveira ouvir ideias da jovem funcionária e levá-la a reuniões importantes. Uma sequência de três delas mudaria o rumo da emissora para sempre.

É 1987. Dois homens animados entram na sala de Roberto Muylaert: um representa o Banco Mundial, instituição que fornece empréstimos para países em desenvolvimento. O outro faz parte da Children's Television Workshop, organização dos Estados Unidos sem fins lucrativos que criou o *Sesame Street*, sucesso nos anos 1960 e inspiração para o *Vila Sésamo*, exibido pela Cultura nos anos 1970.

— Temos boas-novas. Trazemos aqui um projeto da Secretaria de Educação, com empréstimo de US$ 200 milhões para investimentos no Brasil. Nós já reservamos US$ 18 milhões para a TV Cultura fazer um novo programa infantil. Sugiro que seja uma nova versão do *Vila Sésamo*. O senhor não tem de fazer nada, é só assinar que a gente taca o pau — diz o representante do Banco Mundial.

— Mas tem de ser o *Vila Sésamo*? Não pode ser outro programa? Nós temos um aqui na gaveta, começando... — retruca o presidente.

A situação chega a um impasse e os três marcam uma nova reunião para a semana seguinte para que a Fundação Padre Anchieta mostre seu novo projeto, ainda engatinhando.

— Muito bom, mas não está nos parâmetros que o Banco Mundial aprova — diz o representante do Banco Mundial, logo após ver a explicação da equipe da TV Cultura.

— Que parâmetros são esses? – questiona o presidente.

— No mundo inteiro, quem faz esses programas com os nossos parâmetros é a Children's Television Workshop.

— Eu queria formar profissionais aqui, o seu projeto vem com tudo "mastigadinho"...

— Ah, não, mas esse seu projeto vai acontecer! Imagina só o segundo programa que a gente fizer...

— Então, espera: para ter o financiamento, pode ser qualquer programa, desde que seja um novo *Vila Sésamo*. É isso?

— Se o senhor quiser perder o dinheiro...

— Eu não vou perder o dinheiro, isso é dívida externa do Brasil! — grita Roberto Muylaert. Ainda aos berros do executivo da Fundação Padre Anchieta, os dois representantes – do Banco Mundial e da CTW – saem da sala "batendo as tamancas". O clima ficou tão pesado que quem estava presente na reunião jura que só faltou Muylaert chutar os dois executivos para fora de sua sala.

Apesar do clima agressivo, a reunião com os "gringos" acabou sendo produtiva para a Fundação Padre Anchieta. Ali, Muylaert e a alta cúpula da Cultura perceberam que precisavam prestar mais atenção à programação infantil, que não recebera grande investimento nos primeiros meses da nova gestão. Era uma questão bastante delicada: desde sua criação, a Cultura sempre teve a missão de ser uma emissora educativa.

Na década que antecedeu a chegada de Muylaert, porém, a emissora teve uma produção bem simples para o público infantil – como *Jardim Zoológico*, que mostrava às crianças o comportamento dos animais. Nos anos 1980, a situação melhorou, mas não muito, com programas como *Curumim*, *Catavento*, *Bambalalão* e *Revistinha*. Fosse por falta de recursos ou pela própria dinâmica, porém, esses programas eram repletos de improvisos, como boa parte das atrações exibidas pela Cultura até então. Para o presidente da FPA, faltava a eles um projeto bem definido, um pensamento central. "Não havia uma sequência de programação, com vários programas um entrando em sequência do outro na grade horária", diz Muylaert[12].

O imbróglio com o Banco Mundial e a CTW ficou girando na cabeça do presidente da Fundação Padre Anchieta. Um dia, ele teve o estalo: ligou para um amigo próximo, Mario Amato, presidente da Federação das Indústrias do Estado de São Paulo (Fiesp). Além de representar os interesses dos industriais paulistas, a Fiesp também era responsável pelos colégios do Serviço Social da Indústria (Sesi) e do Serviço Nacional da Indústria (Senai) em São Paulo. Ou seja: tratava-se de um órgão preocupado com "o futuro do país". Conservador e patriota convicto, Amato era filho de italianos e acionista de 11 empresas, entre elas a filial brasileira da fabricante de eletrônicos Panasonic e a indústria de aparelhos de ar-condicionado Springer.

Os dois marcaram uma reunião, na qual Muylaert contou a história dos encontros malsucedidos com a CTW e o Banco Mundial. Falou também do projeto de um programa infantil da Cultura, ainda em rascunho. De repente, Amato perguntou:

— Quanto custaria se a gente fizesse isso no Brasil?

— Em vez de US$ 18 milhões, acho que uns US$ 2,5 milhões... — blefou Muylaert.

— Você está brincando? Vamos fazer juntos. Eu pago metade e vocês pagam a outra metade. Depois o programa vai para todas as escolas do Sesi!

Nascia ali o *Rá-Tim-Bum*.

3. A máquina de Goldberg

Marcelo Tristão Athayde de Souza desembarcou no Brasil no meio de 1988. Recém-chegado de Nova York, cheio de ideias na cabeça e na mala, o rapaz tinha finalmente conseguido respirar depois de uma década intensa.

Quando os "malditos" anos 1980 começaram, ele estava na metade do curso de Engenharia Civil na Escola Politécnica da Universidade de São Paulo, depois de ter deixado para trás o sonho de ser piloto de caça. Ainda adolescente, o rapaz trocara São Paulo e o colegial pela ambição de pilotar aviões. Para isso, inscreveu-se na Escola Preparatória de Cadetes do Ar, em Barbacena, cidade mineira a 169 quilômetros da capital Belo Horizonte. Apesar da aspiração de Ícaro, o aluno 75/144 Athayde não seguiu a carreira aérea. Logo depois de se formar, ele deixou Barbacena para se preparar para o vestibular em São Paulo. Inquieto e criativo, Marcelo conciliou os estudos com ensaios do Centro de Pesquisa Teatral (CPT), do encenador Antunes Filho. "Mesmo indo para a Engenharia, o teatro já tinha me desencaminhado havia tempos", brinca.

Na USP de 1978, o rapaz encontrou um clima efervescente. Enquanto se desdobrava nas primeiras aulas de Cálculo e Física, assumiu também a edição de um jornal de humor de tendência anarquista, o *Cê-Viu?* Com tiragem mensal de mil exemplares, o pasquim era capaz de causar filas no Grêmio Politécnico, à espera da Kombi que trazia os jornais direto da gráfica da instituição. Se as manhãs e as tardes ocupadas não eram suficientes, em 1980 Marcelo decidiu que precisava de uma distração noturna: as aulas do curso de Rádio e TV da Escola de Comunicações e Artes da USP.

Pouco tempo depois, Marcelo começou a se enturmar com um grupo de rapazes da Faculdade de Arquitetura e Urbanismo (FAU) que gostavam muito de mexer com vídeo. Fernando, Paulo, Marcelo, José Roberto, Toniko, Renato, todos eles muito animados e inspirados pelo ideal "uma câmera na mão e uma ideia na cabeça" – ou a fim de subvertê-lo em prol de uma boa piada. Com uma câmera portátil trazida do Japão, aqueles rapazes podiam fazer em casa o que só as emissoras de televisão conseguiam: seus próprios vídeos.

Com três deles – *Marly Normal, Garotos do Subúrbio* e *Brasília* –, o grupo conseguiu vencer o 1º Festival Videobrasil, organizado pelo Museu da Imagem e do Som de São Paulo (MIS-SP) em 1983. A vitória deu um espaço na televisão à Olhar Eletrônico – nome mais que apropriado dado pelos rapazes para homenagear a tecnologia "milagrosa" capaz de gerar câmeras portáteis.

Na verdade, não era bem um espaço, mas sim um buraco: um bloco do *23ª Hora*, programa de fim de noite comandado pelo jornalista Goulart de Andrade na TV Gazeta. Na época, Goulart era conhecido por suas reportagens feitas em plano-sequência em lugares insólitos de São Paulo, criando um estilo de jornalismo televisivo chamado de "vem comigo", no qual um câmera habilidoso seguia instintivamente o que quer que Goulart quisesse mostrar – o hospício do Juqueri, a vida dos travestis do centro de São Paulo ou os bastidores de um programa de rádio.

Foi mais ou menos nessa época que Marcelo Tristão Athayde de Souza percebeu que tinha um nome longo demais. Virou Marcelo Tas, unindo as três iniciais de seus sobrenomes. Ou melhor, virou Ernesto Varela, um repórter amalucado, de terno azul comprado na loja americana Sears, coqueluche da época. Com óculos vermelhos, cara de idiota e dono de uma ingenuidade sagaz, Varela era uma perfeita sátira ao formato conservador do telejornalismo da época. Seu nascimento foi fruto do acaso – ou do tédio. O primeiro esquete em que Varela aparece, denominado *Santos Urgente*, mostra o clima de fastio da equipe da Olhar Eletrônico em meio a uma viagem num feriado chuvoso na cidade litorânea em 1983. Sob visível indignação, o repórter mostra a temperatura de um relógio de rua quebrado, anuncia um *show* de Itamar Assumpção e revela que, "num esforço da nossa reportagem, estamos aqui, tomando chuva".

A estreia de fato aconteceu meses depois, já na TV, com direito ao estilo insólito de reportagens do "chefe" Goulart de Andrade: em plena Avenida Paulista, Varela encontrou uma bananeira. Durante toda a reportagem, ele tenta calcular quanto custa a banana produzida no metro quadrado mais caro do país – e chega à conclusão de que a banana da Paulista é a melhor saída para acabar com a dívida externa brasileira. A seu lado, Varela trazia o câmera Valdeci, espécie de "Sancho Pança *videomaker*" interpretado por Fernando – isto é, o diretor Fernando Meirelles.

Era apenas o começo: nos quatro anos seguintes e em diversas emissoras, Varela cobriu acontecimentos como as Diretas Já, a Copa do Mundo de 1986 e a descoberta das minas de ouro de Serra Pelada. Ele era o rei das perguntas inconvenientes – para os entrevistados, claro. "Qual é o prazer da política?", questionou Varela a nomes como o sindicalista Luiz Inácio Lula da Silva e a sexóloga Marta Suplicy, ambos nomes fortes do recém-criado Partido dos Trabalhadores (PT). À apresentadora Hebe Camargo, perguntou se ela era comunista. A uma passista de uma escola de samba, Varela indagou como tinha sido "uma noite com os japoneses" – sorridente, a moça responde: "Foi difícil, prefiro não falar". Sua entrevista mais marcante, porém, foi com o então candidato do Partido Democrático Social (PDS) à presidência da República, Paulo Maluf: "É verdade, Sr. Maluf, que o senhor é um ladrão?", perguntou Varela ao ex-governador de São Paulo, notório motivo de piadas por suas acusações de desviar verbas públicas.

O sucesso do repórter quase atrapalhou o estudante: a certa altura, Marcelo percebeu que precisava ao menos ter um diploma. Largou a ECA, encerrou o curso de Engenharia Civil na Politécnica em 1983 e seguiu em frente fazendo seus vídeos. Além do repórter ingênuo, Tas também encarnou o apresentador Bob McJack no *Crig Rá*, também exibido pela TV Gazeta de São Paulo a partir de 1984, e produzido pela Olhar em parceria com a Abril Vídeo. No "melhor programa de rádio da televisão brasileira", McJack falava sobre música ao estilo das recém-surgidas FMs do Brasil e exibia os primeiros videoclipes produzidos no país. Quando a fase Varela acabou, Marcelo Tas já tinha se tornado um nome suficientemente conhecido para atrair a atenção da Rede Globo. Não deu outra: em poucos meses, lá estava o rapaz apresentando o *Vídeo Show*, programa vespertino de variedades cujo principal tema era a própria Globo.

Em 1987, cansado do espírito "tudo ao mesmo tempo agora", Tas se candidatou a uma bolsa do governo americano dedicada a artistas estrangeiros. Com um amigo morando em Nova York e havia muito tempo produzindo em alta octanagem, parecia a oportunidade certa para uma pausa. "Quando entrei na Globo, disse que tinha prestado a bolsa. Se eu passasse, preferia estudar. Ninguém levou a sério quando eu ganhei a bolsa e saí."

O programa também era perfeito para o clima de "ócio criativo": sem compromissos acadêmicos fixos, Tas podia frequentar as aulas de cinema, rádio e televisão da New York University, que tinha formado gente como os diretores Martin Scorsese, Woody Allen e Oliver Stone. Na faculdade, ele estudou técnicas de cinema – em um de seus principais cursos, de fotografia, gastou um semestre inteiro analisando apenas a cena inicial de *O Poderoso Chefão*. Nas horas vagas, se enfiava na biblioteca da instituição e empilhava rolos e rolos de filmes antigos, do cinema mudo, de gente como Buster Keaton e Charles Chaplin. "Você podia pegar o rolo na mão, abrir para checar a edição quadro a quadro. Era mágico", conta Tas. "Ali, eu aprendi a contar histórias no vídeo."

À noite, um dos programas preferidos de Tas era o The Bottom Line, bar que ficava perto da NYU e chegou a receber gravação de discos de Lou Reed e *shows* de Bruce Springsteen. Além do rock, a casa recebia também comediantes em início de carreira – um deles, Paul Zaloom, era capaz de contar uma história inteira sobre jovens *yuppies* viciados em champanhe e cocaína apenas com objetos do cotidiano, retirados de dentro de uma mala. Anos depois, Zaloom encarnou o cientista maluco Beakman, em um dos enlatados mais populares da grade da TV Cultura: *O mundo de Beakman*.

Ao chegar ao Brasil, após um ano e meio de Nova York, Tas acreditou que teria um tempo até bolar sua próxima ideia maluca. Ledo engano: mais uma vez, era hora de se juntar ao bom e velho câmera Valdeci – agora, porém, a ordem não era divertir e provocar os adultos, mas sim as crianças.

Valdeci – isto é, Fernando Meirelles – era o principal reforço da Cultura para seu novo programa infantil. Segundo Meirelles, quem o convidou para o projeto foi o diretor de programação Roberto de Oliveira, após assistir aos seus trabalhos na TV Gazeta. Quem também trabalhava na Gazeta na época era Anna Muylaert, filha do também presidente da FPA e recém-formada em Cinema pela Escola de Comunicações e Artes da USP. Anna, porém, era da equipe de Serginho Groisman no *Matéria Prima*, programa de variedades que tinha nascido na rádio da Fundação Cásper Líbero. "Sei que não foi a Anna que me falou dele [Meirelles]", alega o ex-presidente da FPA, Roberto Muylaert.

Além de Marcelo Tas, Fernando também chamou Paulo Morelli para acompanhá-lo no programa, até ali chamado provisoriamente de Projeto Pré-Escola. "Pré-escola, naquela época, era coisa de rico", diz Muylaert. Era mesmo: segundo dados do Ministério da Educação (MEC), na época, havia 3,396 milhões de matrículas no ensino pré-escolar no Brasil – a população de crianças de até 6 anos, porém, girava em torno de 24 milhões de pessoas.[13]

Para a Fiesp e seu comandante, Mário Amato, "um dos principais problemas da sociedade brasileira era a educação".[14] Pela TV, seria possível preparar as crianças que não tinham acesso à pré-escola, dar a elas informações e conceitos que lhes deixariam mais preparadas para os primeiros anos em salas de aula. Mais do que ser um simples programa de TV, o novo projeto precisava ser ao mesmo tempo pedagógico e divertido. Por isso, trazer Meirelles e os rapazes da Olhar Eletrônico parecia uma ótima saída: responsáveis por algumas das principais novidades da televisão brasileira nos anos 1980, os "garotos", como dizia Muylaert, tinham ferramentas capazes de oxigenar e estruturar um programa infantil que fosse diferente do que a Cultura fazia na época.

Era preciso resgatar um pouco do espírito de *Vila Sésamo*, exibido pela Cultura no início dos anos 1970. Assim como o Projeto Pré-Escola, tirar o *Vila Sésamo* do papel foi uma grande missão para a Fundação Padre Anchieta. Tudo começou quando, em uma viagem pelos Estados Unidos, o diretor Claudio Petraglia, da Cultura, viu *Sesame Street* e se apaixonou por ele. Na mala, trouxe consigo os primeiros materiais do programa ao Brasil. A negociação para adaptá-lo, porém, foi complicada e durou um ano: a CTW só cederia os direitos sobre sua série caso a Cultura mostrasse ao menos a gravação de um programa inteiro.

Com o caixa em baixa, a nascente Cultura teve de pedir ajuda à TV Globo. No fim das contas, a emissora fluminense acabaria bancando 70% dos 6 milhões de cruzeiros gastos na produção da série. Além disso, a rede do Jardim Botânico liberou alguns atores do seu elenco – como Aracy Balabanian e Armando Bógus – para a produção. À Cultura, além dos 30% restantes, cabia a parte mais trabalhosa: executar todo o projeto, do roteiro à finalização. A desigualdade não acabava por aí: nas reuniões sobre o programa, os diretores da Fundação Padre Anchieta – em sua maioria, professores universitários aposentados – tinham de debater com José Bonifácio de Oliveira Sobrinho, o Boni, diretor-geral da TV Globo.

Todo-poderoso da TV Globo, Boni também foi o responsável por um dos detalhes mais marcantes da adaptação brasileira do projeto: o nome. Para ele, o espaço da rua não condizia com o ambiente das crianças no Brasil, mas sim o da vila. Dessa forma, os bairros pobres dos guetos de Nova York deram lugar a uma vila operária típica das grandes cidades brasileiras da época. Ainda no quesito tradução, vários bonecos tiveram seus nomes alterados por aqui: Ernie e Bert viraram Ênio e Beto, enquanto o simpático Elm virou Elmo. Já o pássaro gigante Big Bird virou Garibaldo. Mais do que uma simples versão, Garibaldo era um novo boneco, criado pelo artista plástico Naum Alves de Souza e interpretado com irreverência e liberdade pelo ator Laerte Morrone. Originalmente amarelo nos EUA, o Garibaldo brasileiro era todo tingido de azul, para um contraste melhor na produção preto e branco do país, em uma fantasia que custou cerca de 6 mil cruzeiros. Um carro popular, como o Fusca, custava na época 12 mil cruzeiros.

Além de Aracy Balabanian, como a doceira Gabriela, e Armando Bógus, o faz-tudo Juca, que tinha uma oficina na vizinhança, outros atores faziam parte do elenco de *Vila Sésamo*. Era o caso de Sônia Braga, em seu primeiro papel na TV, como a professora Ana Maria, e do ator Flávio Galvão, interpretando o caminhoneiro Antônio. Além deles, havia o seu Almeida, um simpático senhor dono de uma venda, feito por Manoel Inocêncio.

Para quem visitava o estúdio pela primeira vez, ele parecia saído de um sonho. "Era um estúdio incrível", lembra a atriz Patricia Gasppar, a Caipora do *Castelo Rá-Tim-Bum*. Enquanto *Vila Sésamo* era produzido em um estúdio, Patricia participava das gravações de *Brasil, Esse Desconhecido* em uma locação próxima. O programa, apresentado por seu pai, o jornalista Mário Gaspar, exibia documentários sobre o país, e cabia a Patricia fazer desenhos sobre o tema de cada edição. "Toda vez que acabava a gravação no estúdio do *Brasil*, eu ia brincar no *Vila Sésamo*. Era meu parque de diversões", diz. Patricia ainda tinha uma vantagem em relação a todos os outros telespectadores de *Vila*: ela era uma das poucas felizardas a ver o programa em cores.

Exibido a partir do dia 12 de outubro de 1972 na Cultura (às 17h30, de segunda a sexta-feira) e na Globo (às 10h45 e às 16h30, também de segunda a sexta-feira), *Vila Sésamo* começou bastante fiel ao original, com metade de seus 55 minutos "enlatada" direto da produção americana. A partir de 1973, o programa ganhou liberdade para ter cara mais brasileira, com textos de roteiristas como Marcos Rey, Ivan Lessa e Dinah Silveira de Queiroz. Em 1974, a parceria entre a Globo e a Cultura acabou sendo desfeita. O programa, no entanto, foi produzido pela emissora carioca até 1977, chegando a atingir 20 pontos de audiência no Ibope. Nessa segunda fase, a trilha sonora do programa americano acabou substituída pelas canções escritas pelo compositor Marcos Valle, como "Alegria da vida". Ao todo, contando as duas fases do programa, *Vila* teve 155 episódios, sempre com 55 minutos de duração.

O espírito de *Vila Sésamo*, porém, teve pouca continuidade ao longo dos anos 1970. Nos anos 1980, a emissora fez diversas tentativas de criar novas atrações para os pequenos – muitas delas até com apoio de educadores e governos. Era o caso, por exemplo, do *Curumim*, exibido entre 1981 e 1985 e dirigido por Antônio Abujamra, um veterano de *Vila Sésamo*. Criado de uma parceria da Cultura com a Secretaria de Educação da Prefeitura de São Paulo, o programa trazia conversas de atores com estudantes da rede municipal, entre atividades, brincadeiras e visitas ao Jardim Zoológico. A ideia era que a criança assistisse ao programa em casa e, na escola, o professor aproveitasse o que foi exibido na televisão para ensinar conteúdos novos – havia até manuais com metodologia para os docentes. Exibido de segunda a sexta-feira, às 10h45 e às 16h45, o *Curumim* durava cerca de 15 minutos. Apesar das boas intenções, porém, faltava agilidade ao programa – ele era um pouco "teórico" demais.

Divertido, mas não necessariamente pedagógico, era o *Bambalalão*, que estreou um ano antes do *Curumim*. Voltado para o público entre 5 e 10 anos, o programa começou como uma atração de blocos gravados, em forma de revista, com contação de histórias, brincadeiras, charadas, gincanas e aulas de artes. Em 1982, porém, é que o *Bamba* ganhou sua cara, sendo transmitido ao vivo todos os dias do Teatro Franco Zampari, adquirido pela emissora no ano anterior. Na época, as instalações do teatro eram tão precárias que a transmissão do programa era feita de um *trailer*, colocado nos fundos do prédio.

Quem comandava o *Bamba* era Gigi Anhelli, acompanhada dos atores Marilan Sales (o palhaço Tic-Tac) e João Acaiabe (que chegou à turma como contador de histórias) e da também apresentadora Silvana Teixeira. O principal destaque do *Bamba*, porém, foi a incorporação da manipulação de bonecos como linguagem nos programas da Cultura. Em um "departamento" chefiado pela manipuladora Memélia de Carvalho, o programa teve personagens como o cientista louco Professor

Parapopó, o leãozinho galanteador Bambaleão ou a dupla Maria Balinha e João Balão, feitos de improviso por Memélia e seu companheiro Chiquinho Brandão.

"Não tinha texto, não tinha nada. Subia [no cenário] o João Balão e a Maria Balinha e eles improvisavam sobre o que estava acontecendo naquele dia", lembra o bonequeiro Álvaro Petersen Jr., que se juntou à turma do programa em 1986. "Era um bundalelê. O Chiquinho era um cara anárquico, enquanto a Memélia era mais formal. Havia ali uma quebra. Tinha dias em que o quadro era genial e dias em que ele não funcionava tão bem", lembra Fernando Gomes, que também fez parte do *Bambalalão* em seus anos finais.

Se sobrava espontaneidade ao *Bambalalão*, para alguns o programa pecava por não seguir uma linha construtiva e perene. "Era um programa que não tinha sequência. [Você via em um dia e] no dia seguinte, as coisas eram todas diferentes", avalia Roberto Muylaert. Além das crianças, o *Bambalalão* também atraía todos os dias ao Franco Zampari um público adulto, formado por universitários – atraídos especialmente pelos bonecos da trupe do programa. Há quem diga, porém, que o interesse da audiência mais madura tinha um foco de atenção: as pernas de fora da dupla Gigi e Silvana.

Apesar do parentesco, tanto *Bambalalão* como *Curumim* tinham linguagem diferente da de *Vila Sésamo*. Já *Catavento*, transmitido pela primeira vez em outubro de 1985, seguia a linha do programa pioneiro. A atração contava com três apresentadores: Roberto Domingues era o "rapaz", enquanto Verônica Julian era a "moça". Completava o time o ator Luís Melo, em início de carreira, recém-chegado de Curitiba. Melo era responsável pelo Gororoba, "algo entre um bicho e um extraterrestre". Os três se revezavam em esquetes que ensinavam a contar, as letras e noções de tempo e de espaço, por exemplo. "Tudo no *Catavento* tinha que ver com o currículo da pré-escola: era um programa cheio de quadros, mas sem produção e com pouco dinheiro", lembra o roteirista Flavio de Souza. De fato: havia poucas cenas gravadas em estúdio no *Catavento*, cujas principais locações eram os jardins e prédios da Fundação Padre Anchieta, na rua Cenno Sbrighi.

Sem dinheiro, a saída era, mais uma vez, improvisar: parte da fantasia do Gororoba, por exemplo, eram luvas destinadas a pilotos de kart, com material antiderrapante nas mãos. No entanto, o improviso às vezes tinha de enfrentar uma complicada adversária: a burocracia. Em certo momento das gravações, havia um quadro em que se ensinava as crianças a contar de 1 até 5. Para isso, a produção queria utilizar cinco bananas – e foi preciso mobilizar, na lanchonete da Fundação, cinco pessoas da equipe, Souza inclusive, para se responsabilizar cada uma por uma fruta. "Foi uma loucura", lembra o roteirista.

Apesar da falta de recursos, para Flavio de Souza o *Catavento* era uma oportunidade de ouro. Afinal de contas, era a primeira vez que ele escrevia para a televisão – e estava aprendendo muito, na base da tentativa e erro. "Em uma semana, dava para saber o que dava certo e o que dava errado nos programas", diz o roteirista. Era um bom veículo para a inquietude criativa de Flavio, um autor prolífico a despeito de seus apenas 30 anos.

Nascido em 1955, na capital paulista, desde pequeno Souza tinha proximidade com o mundo das artes: aos 6 anos de idade, fez um curso de artes plásticas na Fundação Armando Alvares Penteado (Faap) com o diretor de teatro Naum Alves de Souza – o mesmo que criou o Garibaldo e alguns dos cenários de *Vila Sésamo*. No final dos anos 1960, Flavio voltou a ser um dos alunos favoritos de Naum em outro curso livre na Faap, dessa vez destinado a adolescentes interessados em teatro. A memória do aluno ficou na cabeça do professor. Dois anos depois, Naum chamou Flavio e alguns de seus colegas no curso. A ideia era apenas montar textos e improvisos na sala do professor – e na casa de quem mais quisesse receber aquela trupe, batizada por seus integrantes de Pod Minoga.

Em 1972, o grupo resolveu alugar um ateliê na rua Oscar Freire para organizar seus ensaios – o espaço também servia como palco de suas apresentações improvisadas. "Não havia nada escrito: a gente só improvisava em cima do palco. Roteiro não era uma preocupação nossa naquela época. Uma noite era diferente da outra", lembra Flavio. Era um processo bastante coletivo, dividido por Flavio, Naum e atores como Mira Haar e Carlos Moreno. O método só foi abandonado em 1977, quando a trupe não resistiu à tentação de se apresentar em um teatro convencional – o Teatro de Arena Eugênio Kusnet – com a peça *Folias bíblicas*. Para isso, no entanto, foi preciso escrever o texto da peça e enviá-lo à Censura em Brasília com um mês de antecedência. "Nosso humor tinha uma pegada meio Monty Python, meio herege", explica o roteirista. O grupo marcou época no teatro de São Paulo, especialmente por ser capaz de dialogar com os jovens. "Eu não gostava de teatro, mas gostava do Pod Minoga. O resto do teatro era muito formal, mas eles não! Eles falavam com a gente", lembra a atriz Patricia Gasppar, adolescente na época.

Apesar de democrático, o processo de construção coletiva do Pod Minoga frustrava as expectativas de Flavio de Souza. Além do grupo de teatro, ele dedicou seu tempo a partir de 1974 ao curso de Cinema da ECA-USP, depois de ter estudado no Colégio Equipe. Ou melhor, à biblioteca da instituição. "Aula mesmo eu tive muito pouco, porque a gente vivia em greve. Acabei passando dois anos na biblioteca." Foi suficiente para que o autor devorasse as prateleiras de teatro da instituição, tendo contato com autores como o romeno Eugène Ionesco e o irlandês Samuel Beckett. "Aquelas coisas malucas me deixaram com vontade de escrever histórias que não cabiam mais no Pod Minoga".

Um dia, no galpão do Pod Minoga, Flavio foi convidado a colaborar com "cinco ou seis histórias" para a revista *Recreio*, título infantil da Editora Abril. Uma delas era *Vida de cachorro*, que acabou virando sua primeira peça de teatro e seu primeiro livro. Com a boa repercussão das histórias, Souza acabou convidado para escrever na Cultura e trabalhar no *Catavento*. Lá, ele aprendeu as diferenças entre teatro e televisão – mesmo com o programa não "indo para a frente", Flavio ficou na emissora e começou a trabalhar em outros dois projetos.

Um era o *S.O.S. Português*, que dava dicas de gramática em meio a esquetes bem-humorados. O outro era o *Revistinha*, que visava não só as crianças, mas também os adolescentes. Exibido ao vivo em 1986, era um programa de variedades, com reportagens sobre temas como esporte, comportamento e nutrição, além de competições ao vivo. Além dos quadros e das reportagens, o *Revistinha* tinha também sempre algo de ficção – em especial, paródias de novelas.

Uma delas era *Quem tem medo de Ivete de Rotterdam?,* versão bem-humorada do mistério do assassinato da vilã Odete Roitman, interpretada pela atriz Beatriz Segall na novela *Vale Tudo*, exibida pela Globo em 1989. Além de escrever, Flavio também participava do programa como ator, contracenando com nomes iniciantes do teatro paulista, como Pascoal da Conceição, Cassio Scapin, Carlos Moreno, Cristina Mutarelli, Iara Jamra, Marisa Orth e Eliana Fonseca, além de sua colega de Pod Minoga e esposa Mira Haar. Era bom, mas não era suficiente: afinal de contas, ainda era um programa sem a estrutura de que Flavio precisava para dar vazão à sua criatividade. A chance de ouro, porém, estava logo ao lado: o Projeto Pré-Escola. Flavio deu sorte: na disputa com outros dois roteiristas, ele acabou ficando sozinho – um deixou o projeto por achar que receberia pouco dinheiro e o outro brigou com a direção. Era a vez de a "prata da casa" se unir aos recém-chegados.

Fernando Meirelles, Paulo Morelli, Marcelo Tas e os Flávios (de Souza e o animador Flávio Del Carlo, também convidado para o projeto) passaram toda a temporada de 1989 bolando o que seria o novo programa. Literalmente: a primeira reunião do grupo foi no dia 2 de janeiro, logo após o *réveillon*. "Lembro de pensar: será que eles vão mesmo? Cheguei às 9h da manhã em ponto, e todo mundo estava lá", conta Marcelo Tas. "Foi um ano muito longo." Também, pudera: além do nome temporário (Projeto Pré-Escola) e da noção de que a atração precisava ser educativa, não havia nenhuma definição específica sobre o que deveria estar na tela.

Os primeiros dias de trabalho foram pouco produtivos e o time ficou nervoso. Ao voltar de uma das reuniões de criação na Cultura,

Fernando Meirelles decidiu fazer a lição de casa: prestar atenção à sua filha Carolina, então com 4 anos, enquanto ela assistia à televisão. Foi o suficiente. Por mais que os programas aos quais Carolina assistisse tivessem histórias bem delineadas, a garota se interessava mais por detalhes e incidentes dos programas: alguém que caía numa piscina, um cachorro, uma criança que brigava com o irmão – tudo era muito rápido e parecia mais interessante do que uma longa narrativa.

Com isso na cabeça, Meirelles percebeu que o importante era criar momentos de impacto, que passassem um conteúdo ou transmitissem uma emoção de forma rápida e divertida – uma lição ensinada havia 20 anos por *Vila Sésamo*. Fã de metalinguagens desde o início de sua carreira, Meirelles pensou: por que não criar uma minitelevisão vista por uma criança?

Uma não, duas: quem comandava a programação eram os irmãos Lia (Pamella Domingues) e Ivo (João Victor d'Alves). De vez em quando, os dois eram interrompidos pela mãe (Grace Gianoukas) ou pelo pai (Roney Facchini). Os quatro, além de acompanhar as atrações da TV, também podiam interagir com ela, imitando os quadros de coordenação motora ou fornecendo respostas para os enigmas propostos pelo programa. A emissora de televisão fictícia era uma desculpa boa demais – melhor do que os cortes bruscos de *Vila Sésamo*, por exemplo. Além disso, era a chance de explorar novos formatos e ideias, sem obrigar as crianças a assistir ao programa desde o início: quem chegava no meio do caminho podia se divertir e encontrar algo de que gostasse. Para o pessoal da Olhar Eletrônico, acostumado a ter de lidar com a realidade com pitadas de humor, ainda havia um ingrediente extra: se esbaldar criando projetos de ficção.

Cabia de tudo na TV do Projeto Pré-Escola: de um detetive inspirado nos filmes *noir*, o Máscara, até um quadro de circo que ensinava as crianças a pular e se movimentar, a Família Teodoro. Havia Zero & Zero Zero, uma dupla de extraterrestres perdidos pela Terra, tentando aprender mais sobre cores, formas geométricas e a maneira como os seres humanos vivem, bem como uma fada que adorava números, Dalila.

A própria Cultura era retratada em alguns momentos: o *game show Enigma*, com forte inspiração do Antigo Egito, se transformou em um quadro de perguntas e respostas estrelado por uma Esfinge (Norival Rizzo). Já o *Jornal da Criança*, apresentado pelo boneco Ari Nelson e a repórter abobalhada Darlene, era evidentemente inspirado no *Jornal da Cultura*. Nele, a turma da Olhar não perdeu a chance de fazer uma piada interna: perdida em suas reportagens, por vezes Darlene era salva na última hora pelo cinegrafista Zé – uma versão repaginada do Valdeci de Meirelles, interpretada pelo músico Wandi Doratiotto, do Premeditando o Breque. Até o Hino Nacional entrou na dança, ganhando uma bonita reinterpretação feita por Edu Lobo e cantada por Ná Ozzetti, do Grupo Rumo.

Às vezes, porém, a emissora de televisão pendia para o *nonsense*, como no quadro da garota Nina e de sua boneca Careca – interpretada pela adulta Iara Jamra, Nina aparecia em um quarto cheio de móveis enormes, para reforçar que, ali, quem estava falando era uma criança. "Era *nonsense*, mas as crianças gostam de *nonsense*", justifica Marcelo Tas.

Outro momento meio maluco do programa era quando aparecia a boneca Cacilda, a apresentadora de um programa de variedades vespertino. Originalmente, Cacilda era para ser a estrela de um quadro feito apenas por bonecos. Não deu certo: o boneco ficou ruim e não havia tempo suficiente para fazer outro a tempo do início das gravações. No meio da confusão, Fernando Meirelles olhou para a atriz Eliana Fonseca e perguntou: "Por que a gente não faz a Lili ser uma boneca?" A piração funcionou, mas deu trabalho para o figurinista Carlos Alberto Gardin, recém-chegado à emissora: os sapatos da boneca, por exemplo, eram feitos com duas mochilas escolares, bastante coloridas.

"O orçamento todo que havia para o projeto não chegava nunca ao figurino", reclama Gardin. Nascido em Botucatu, Gardin chegou a São Paulo ainda adolescente para estudar dança no Ballet Stagium. Seu sonho era ser bailarino, mas em um ensaio Gardin acabou se machucando e teve de parar de dançar por um tempo.

Nesse intervalo, começou a frequentar aulas de um curso de figurino dado pelo experiente cenógrafo e figurinista Campelo Neto na

Escola de Artes Dramáticas (EAD) da Universidade de São Paulo. "Em 15 dias, Campelo virou meu melhor amigo", lembra Gardin, que foi indicado para a vaga pelo tutor. Na rua Cenno Sbrighi, o bailarino virou figurinista de fato: trabalhando entre 14 horas e 18 horas por dia, Gardin se recuperou da lesão, mas não tinha mais tempo para ensaiar e se afastou da dança. Sorte da TV Cultura: ao longo de 1989, ele criou mais de 800 figurinos para os vários quadros fixos do programa e as histórias de ficção do *Senta que lá vem história*.

Se criar um quadro específico já era difícil, que tal criar um novo por dia? Era esse o desafio do *Senta*, o equivalente na grade da televisão imaginária às novelas e séries do horário nobre das emissoras convencionais. A cada programa, uma história de ficção era fatiada em quatro pedaços, distribuídos ao longo do episódio e sempre abertos por uma vinheta, em que um menino, interpretado por João Victor d'Alves, o Ivo, senta em um sofá e come uma maçã.

Qualquer ideia era levada em conta, desde que fosse criativa: havia crônicas urbanas, adaptações de contos de fada, histórias originais e até mesmo recriações do *Sonho de uma noite de verão*, de Shakespeare, em apenas um minuto. Era tanto trabalho que o clube dos cinco não dava conta: mesmo sendo um criador prolífico, Flavio de Souza pediu ajuda nos roteiros aos amigos Dionisio Jacob, o Tacus, e Claudia Dalla Verde, enquanto Fernando Meirelles convidou fotógrafos e iluminadores amigos para dirigir algumas histórias. "Muita gente percebeu que podia ser cineasta depois de 'dar uma força' no programa", lembra Flavio.

Tanta novidade não foi produzida sem um bocado de conflito entre o grupo de criação e o departamento de Pedagogia da Cultura. A inversão de lógica era evidente: antes, era o currículo pedagógico que mandava no que aparecia na TV. Agora, porém, com aqueles rapazes novos, era a história que mandava: se havia um jeito divertido de fazer as crianças contar de 1 a 5, ele entrava no ar. Caso contrário, nada feito. A "inexperiência" dos cinco criadores também contava contra:

muita gente duvidava de que eles fossem capazes de colocar um programa em pé – quanto mais um programa maluco, nada linear, cheio de quadros esquisitos, com cortes rápidos e linguagem influenciada pela publicidade e pelos videoclipes. "Era um projeto muito ousado para 1990", avalia Marcelo Tas.

Acostumado a reinar, o departamento de Pedagogia ficou incomodado: Flavio de Souza, por exemplo, tinha de responder a cada episódio quantas menções havia a "esquerda e direita", "em cima e embaixo", cores e números. "Ensinávamos as mesmas coisas uma cinco mil vezes. Era absurdo fazer isso em televisão, mas era uma das obrigações do programa", reclama o roteirista, que após a criação assumiu o cargo de roteirista-chefe do projeto.

Por pouco, o departamento de Pedagogia não cortou do programa um de seus personagens mais lembrados até hoje: o Professor Tibúrcio. Inspirado nos telecursos da Cultura, Tibúrcio nasceu aos 45 do segundo tempo, como um pedido especial de Fernando Meirelles ao parceiro Marcelo Tas. Até aquele ponto, Tas não estava escalado para aparecer na frente das câmeras – um desperdício, na visão do bom e velho Valdeci. Para criar o personagem, Tas revirou a mala que trouxe de Nova York: criou um professor à moda antiga para explicar coisas a uma classe imaginária. Com figurino professoral e filmado em preto e branco, ao melhor estilo dos filmes de Buster Keaton, o quadro Tibúrcio tinha uma carga sisuda – para o departamento, sinistra o suficiente para causar medo nas crianças. "Fui lá no 'tribunal' me defender com cenas de *Branca de Neve*, a morte da mãe do *Bambi*, *Tom & Jerry*. Isso está no imaginário da criança. A catarse dela tem muita violência, tem medo. É assim", explica Tas.

No meio da bagunça de ideias que vieram da mala de Tas de Nova York, outra acabou sendo aproveitada no programa: o espetáculo de comédia com objetos que o ator Paul Zaloom fazia no The Bottom Line. No lugar dos *yuppies* viciados em cocaína e champanhe, contos de fada e histórias para crianças, contadas pelos atores Helen Helene (do *Bambalalão*) e Arthur Kohl – que, tempos depois, viria a ser conhecido pelo comercial da geladeira Brastemp.

O confronto entre os dois departamentos, entretanto, acabou sendo produtivo: a experimentação dos novatos pôde se encontrar com uma escola de aperfeiçoamento e trabalho mais planejado – seguindo a clássica regra de que, às vezes, "disciplina é liberdade". Para Marcelo Tas, os frutos dos embates só seriam compreendidos anos depois, quando ele fez parte de outros programas infantis. "Os professores e pedagogos são preservadores do conteúdo. Nós éramos os criativos, que tinham de transformar coisas chatas em um programa de televisão capaz de ser divertido e de competir com a Xuxa na TV aberta", explica.

Ao longo de 1989, a equipe do Projeto Pré-Escola gerou estatísticas impressionantes: ao todo, mais de 450 pessoas trabalharam no projeto, entre atores, produtores e equipe técnica, com 192 programas de meia hora, cinco mil horas de gravação, três mil horas de animação original, 82 cenários e 800 figurinos.

Para a estreia, porém, ainda faltava algo importante: o nome.

Em um almoço com a direção da TV Cultura, o músico Edu Lobo lembrou como gostava de esperar o momento de suas festas de aniversário quando era criança.

Veterano da MPB, Edu já tinha mais de duas décadas de carreira quando topou o desafio de fazer a trilha sonora original do programa, ao lado de parceiros de longa data, como Joyce, Paulo César Pinheiro, Capinam e o maestro Chiquinho de Moraes. Além do tema de abertura, era dele – em parceria com os roteiristas Flavio de Souza e Claudia Dalla Verde – "A refrescante sensação", *jingle* sobre higiene pessoal com cara de sinfonia pop (à moda dos Beach Boys e de Burt Bacharach). Em pouco mais de um minuto, três porquinhos apareciam na tela ensinando às crianças a importância do banho, emulando um comercial de sabonete – na minitelevisão do programa, até as propagandas eram educativas. Apesar do belo resultado final, a canção desagradou a Lobo. "Ele era muito ciumento. Fazer letra de música é difícil, é melhor deixar as músicas para os músicos", comenta Claudia.

Na reunião, Lobo foi se entusiasmando com o clima de nostalgia da infância, até que, de pronto, cortou a bola que estava pingando no ar havia muito tempo: o nome certo para o Projeto Pré-Escola era "Rá-Tim-Bum", uma das frases mais marcantes da canção "Parabéns a você".

Eram três palavras enigmáticas, quase onomatopeias, que tinham sido incorporadas ao hino dos aniversários pelos estudantes da Faculdade de Direito do Largo São Francisco, na década de 1930. Tudo por conta de um certo rajá indiano chamado Timbum, que visitou a faculdade na época e cativou os estudantes a ponto de ser sempre lembrado em suas comemorações – no restaurante Ponto Chic, por exemplo, onde nasceu o sanduíche bauru, eles cantavam bordões como "pique-pique, pique-pique; meia hora, é hora, é hora, é hora; rá, já, tim, bum'".[15]

Muito aguardada, a estreia de *Rá-Tim-Bum* ocorreu apenas em 5 fevereiro de 1990, exibido três vezes por dia pela Cultura: às 9h, às 15h e às 19h. "Dados da Fundação Educar revelam que cerca de 75% das crianças brasileiras têm acesso a aparelhos de TV e passam em média três horas por dia diante deles. Para evitar que *Rá-Tim-Bum* caia na vala comum dos programas da Rede Educativa, optou-se por brigar por uma fatia maior desse público veiculando-se o programa várias vezes por dia", explicava matéria da revista *Veja* na semana da estreia da atração. Com a estreia do *Rá-Tim-Bum*, outro veterano programa da Cultura deu adeus à grade de programação: o *Bambalalão*.

No mesmo texto, o jornalista Almir Nahas avaliava que, "ao contrário de *Vila Sésamo*, que desenvolvia a linguagem do teleteatro, *Rá-Tim-Bum* explora a ação vertiginosa, a colagem de imagens e o humor". Entusiasmada, a reportagem ainda destacava a poderosa abertura do programa, que mostrava, passo a passo, o sistema de funcionamento de uma divertida máquina de Goldberg – cujo nome deriva do cartunista Rube Goldberg, criador de vários dispositivos que cumpriam tarefas simples de maneira complicada, normalmente por meio de uma reação em cadeia.

Silvio Galvão, na época funcionário do departamento de Cenografia, lembra que a abertura demorou seis meses para ser feita – a ambição, na época, era imitar efeitos de computação gráfica, mas com recursos artesanais. Para ele, o espírito inovador do *Rá-Tim-Bum* modificou a maneira como a TV Cultura funcionava: profissionais que estavam havia tempos esperando uma oportunidade puderam finalmente criar algo novo, graças ao oxigênio oferecido por aquele "bando de malucos".

A empolgação não era só da *Veja*: no *Jornal da Tarde*, Alessandro Giannini proclamava que "a televisão brasileira e as crianças ganharam um verdadeiro parque de diversões em vídeo".[16] Na mesma edição, a publicação convidou a escritora de livros infantis Tatiana Belinky para dar sua opinião sobre o programa. Ela era enfática – e lamentava que não podia escrever mais para elogiar *Rá-Tim-Bum*. "Este espaço não dá para contar muita coisa – mas dá para dizer que *Rá-Tim-Bum* começa com o pé direito e promete ficar cada vez melhor."

Na *Folha de S.Paulo*, um ano depois da estreia, o articulista Carlos Eduardo Lins e Silva carimbava: "[O programa] usa todos os recursos televisivos".[17] O sucesso do programa não ficou restrito a São Paulo: no Rio de Janeiro, onde era exibido pela TV Educativa do Rio de Janeiro (TVE), *Rá-Tim-Bum* motivou uma apaixonada carta de um leitor, em setembro de 1990. "É uma pena que dure 30 minutos diários, enquanto os outros [programas infantis de baixa qualidade] duram o dia todo."[18] Ao todo, *Rá-Tim-Bum* era transmitido por mais de 20 emissoras educativas no país, às 9h da manhã e às 12h30.

Se a recepção do público e da crítica parecia suficiente, a história de *Rá-Tim-Bum* ainda teria um final feliz digno de cinema para sacramentar a "ousadia" de Muylaert ao ignorar o Banco Mundial e o *Vila Sésamo*. Logo depois do lançamento do programa, a direção da TV Cultura resolveu inscrever *Rá-Tim-Bum* no Festival de TV de Nova York, um dos prêmios mais importantes para a televisão na época. "Fomos para Nova York o Fernando Meirelles e eu, os dois de *smoking* e tudo mais", lembra Muylaert. "Sentamos no auditório e competíamos contra... o *Sesame Street*." Rufam os tambores... "Na hora H, o mestre de cerimônias virou e falou: 'The winner is... *Rá-Tim-Bum!*' E o *Vila Sésamo* ainda ficou em segundo lugar!"

A história verdadeira, no entanto, não é tão divertida quanto mostra a memória de Muylaert. *Rá-Tim-Bum,* na verdade, venceu dois programas "desconhecidos" – ao menos do público brasileiro: o inglês *Josie Smith's Secret Party* e o americano *Mr. Roger's Neighborhood – The Environment*, feito pela mesma PBS que exibia o *Sesame Street* original[19]. Talvez daí a confusão na cabeça de Muylaert, mas que não tira o mérito da TV Cultura.

Entre o fato e a lenda, que se imprimam os dois.

4. "Alô, alô, Planeta Terra chamando..."

Bem antes de ser a boneca Cacilda em *Rá-Tim-Bum*, Eliana Fonseca só tinha um objetivo simples na cabeça: se formar na faculdade. Mais especificamente, no curso de Cinema da ECA, uma faculdade conhecida por ser "difícil de entrar e mais difícil ainda de sair". Além de cursar todas as matérias da grade, Eliana também precisava fazer um filme como trabalho de conclusão de curso para obter o tão sonhado diploma. Antes de passar meses se dedicando às câmeras, porém, era preciso receber aprovação do pré-projeto do filme por uma banca de professores. Apenas as melhores ideias de cada tipo de projeto – curta-metragem com atores, animações, esquetes – eram escolhidas.

Na primeira tentativa com a banca, nada feito: o projeto de Eliana, um curta-metragem com atores, não convenceu os professores. Quem não passava precisava tentar de novo ou se encaixar no projeto de um colega. E isso Eliana não queria. Frustrada, ela saiu da ECA e foi esfriar a cabeça na mesa de um bar, com amigos. Entre uma cerveja e outra, decidiu que deveria tentar de novo em uma categoria menos concorrida: animação, cujas bancas aconteceriam no dia seguinte. Na mesa do bar, ela teve o estalo para *Frankeinstein Punk*, uma animação bastante ambiciosa. Em apenas 11 minutos, a ideia era mostrar como seria em plenos anos 1980 a realidade da criatura concebida por Mary Shelley em 1818. "Na época, tudo era *punk*, né?", brinca Eliana.

Para ajudá-la, Eliana Fonseca arregimentou Carlos Império Hamburger, um rapaz grande, com rosto expressivo e que andava meio perdido pela ECA. Não que ele estivesse mal acostumado ao ambiente universitário: nascido em 1962, era um dos cinco filhos do casal Ernst e Amélia Hamburger, que estudaram e depois se tornaram professores do Instituto de Física da USP. "Quando eu era criança, a USP era o meu quintal", lembra o rapaz, desde cedo chamado de Cao pelos amigos. Apesar da influência racional dos pais, Cao também tinha um lado artístico no sangue: um de seus tios, irmão de Amélia, era o artista plástico Flávio Império, cenógrafo de peças como *Roda Viva* e *Arena Conta Zumbi*, dos grupos de teatro Oficina e Arena, respectivamente.

Já na adolescência, Cao decidiu que queria ser artista. Melhor: músico. Estudante do Colégio Equipe, ele formou uma banda com um colega de escola, José Fernando. Na banda Os Camarões, Cao tocava violão e guitarra, enquanto José Fernando tocava baixo. Juntos, eles venceram o Festival de Música Secundarista do Colégio Santa Cruz, em 1979. Apesar do sucesso, os amigos se separaram. "Logo percebi que não teria futuro; era um músico medíocre"[20], lembra Cao. Já José Fernando, depois de passar um tempo estudando Matemática na Universidade Federal de São Carlos (UFSCar), largou o primeiro nome de lado, assumiu o apelido do segundo e se tornou o Nando Reis dos Titãs. Para o amigo de adolescência, Cao também tinha outra qualidade: "Era ótimo goleiro".

Sem a música como opção, Cao se formou no colégio sem saber que rumo queria seguir. Desorientado, passou por três faculdades no início dos anos 1980 – Educação Artística, Filosofia e Geografia –, sem completar nenhuma delas. Após fazer um curso de animação, resolveu começar a frequentar como ouvinte as aulas de Cinema da Escola de Comunicações e Artes da USP. Foi assim que ele conheceu Eliana Fonseca.

Os dois foram apresentados em 1984, quando ajudaram os amigos Michael Ruman e Ana Mara Abreu a filmar seu projeto de conclusão, o curta-metragem *Bammersach*. Ao ser chamado para o projeto da amiga, Cao topou de pronto: afinal, quanto mais experiência, melhor. A colaboração entre Eliana e Carlos foi tão grande que, no final de *Frankenstein Punk*, o rapaz acabou pedindo para assinar a direção do filme com ela. Além de ter feito o nome da dupla na cena de São Paulo da época, *Frankenstein Punk* também teve retorno da crítica e do público: no Festival de Gramado daquele ano, venceu o prêmio de melhor filme pelo júri popular, além dos troféus em fotografia, som e o prêmio especial de animação. Finalmente formada, Eliana acabou indo parar na Cultura em projetos como *S.O.S. Português* e *Revistinha*, antes de assumir a peruca azul da boneca Cacilda. Já Cao seguiu em frente fazendo animações em massinha – ou melhor: *stop motion*. "No fim das contas, o filme acabou sendo mais dele do que meu", diz Eliana.

Com Maurizio Zelada, que foi diretor de arte de *Frankenstein*, Cao criou uma produtora de vídeo para fazer projetos de animação e efeitos especiais. Nas horas vagas, ele tocou outro projeto ambicioso: *A Garota das Telas*, uma história de amor entre um mocinho e uma mocinha interrompida por uma viagem entre diversos gêneros de cinema, do *western* ao musical. O filme foi bem; a produtora, não: a veia empreendedora do diretor foi atropelada no início de 1990 pelo Plano Collor, uma ideia mirabolante da equipe econômica do recém-empossado presidente Fernando Collor de Mello. O plano era simples: reduzir a quantidade de dinheiro circulante no mercado para brecar a inflação galopante da época. Sem dinheiro na praça, empresa nenhuma queria pensar em gastar – ainda mais com projetos de filmes em massinha. Cao ficou sem trabalho e fechou a produtora. "Foi aí que eu fui pedir emprego na Cultura", lembra o diretor. "Por incrível que pareça, deu certo: no meio de uma crise forte, a Cultura estava ainda mais forte."

Não que a Cultura estivesse apostando rios de dinheiro no diretor estreante: seu novo projeto era apenas um dos muitos ingredientes do *Glub Glub*, um dos programas mais baratos que a emissora faria.

Tratava-se de uma produção modesta – o chamado "cabeça de desenho", apelido dado a atrações que exibem desenhos animados curtos, de cinco a sete minutos. Entre uma animação e outra, aparece um apresentador, responsável por introduzir os desenhos, em sua maioria importados ou comprados de produtoras independentes. Era mais uma das formas de diversificar sua grade de programação – para Beth Carmona, era importante oferecer atrações para diversas faixas etárias e com diversas linguagens. Animação, *live action*, ficção, não ficção, aquarela e *stop motion*, divisão em quadros e sem quadros: tudo vale. Normalmente, o jeito mais simples de fazer um "cabeça de desenho" é colocar uma criança para apresentar as animações – mas isso seria "quadrado" demais para uma emissora que tinha acabado de fazer um programa ousado como o *Rá-Tim-Bum*. Era preciso ir além.

Durante o *Rá-Tim-Bum*, Flávio Del Carlo e Fernando Meirelles usaram e abusaram de uma técnica de vídeo incorporada por Hollywood desde os anos 1930, mas acessível apenas na década de 1980: o *chroma key*. Nela, é possível inserir uma imagem sobre outra anulando uma cor padrão – normalmente, o verde ou o azul. Assim, era fácil colocar atores de verdade em locações difíceis ou absurdas, como uma floresta, o espaço ou o fundo do mar. Opa, alguém falou em fundo do mar? Por que não usar dois peixes como apresentadores de desenhos animados, com uma mensagem ecológica e aproveitando o colorido do oceano?

Estava definido o ambiente do *Glub Glub*, que tinha dois peixes como apresentadores. O nome deles? Glub e Glub, interpretados pelos atores Gisela Arantes e Carlos Mariano. Tanto Carlos como Gisela usavam uma máscara de peixe, com muita maquiagem na cabeça. Já o resto do corpo dos atores era revestido de tecido verde ou azul. Depois, era adicionada ao vídeo a imagem do fundo do mar, em cenário produzido pelo animador Flávio Del Carlo. A direção ficava por conta de Arcângelo Mello Júnior.

No programa, que durava meia hora, eles exibiam desenhos bastante diferentes, vindos de lugares como Alemanha, Espanha e Leste Europeu – fugindo do padrão Disney de qualidade. Eram animações baratas, mas de qualidade, compradas pela (finalmente empossada) diretora de programação Beth Carmona em feiras de televisão no exterior. Entre elas, estavam o suíço *Pingu*, todo feito em massinha, e *Cobi e sua Turma*, cujo protagonista era o mascote da Olimpíada de Barcelona de 1992.

Comprar bom material era uma saída inteligente quando não se conseguia produzir tudo em casa. Nos primeiros anos da gestão Muylaert, a Cultura fez isso com programas ingleses, como os documentários sobre a natureza da BBC e a série *Memórias de Brideshead.* Nos anos seguintes, a mesma tática foi usada na programação infantil com os seriados *O Mundo de Beakman* (exibido pela Cultura entre 1994 e 2005) e *Anos Incríveis* (cuja transmissão começou em setembro de 1993), além dos desenhos do canal americano Nickelodeon, como *Doug* (a partir de 1994) e *Rugrats – Os Anjinhos* (a partir de 1995). Nesse último caso, a parceria foi estratégica para os dois lados: a emissora estrangeira queria entrar no Brasil, mas ninguém a conhecia por aqui. "Fizemos um acordo simples: nós pagamos a dublagem dos desenhos em português e eles deram o programa para exibirmos", lembra Beth Carmona.

O *Glub Glub* estreou em 9 de setembro de 1991, em três horários: 10h, 15h30 e 19h30, sempre depois do *Rá-Tim-Bum.* No último horário, o programa ainda contava com outra "feliz coincidência": era exibido antes de *O Mundo Submarino de Jacques Cousteau*, programa que mostrava as aventuras do famoso mergulhador francês no fundo do mar. Além do *chroma key* e dos desenhos, *Glub Glub* chamava atenção por outro fator: sua enigmática música de abertura.

A culpa era de Hélio Ziskind, veterano músico da cena independente de São Paulo. Nos anos 1970, enquanto ainda estava no ensino médio, o rapaz montou o Rumo, banda que gostava de adaptar sambas antigos com arranjos contemporâneos e ao mesmo tempo fazia canções inusitadas com letras engraçadas. Banda talvez seja pouco para explicar o Rumo, que tinha em sua formação original nada menos que dez músicos – entre eles, os irmãos Luiz e Paulo Tatit, a cantora Ná Ozzetti e o vocalista Geraldo Leite, que depois se casaria com Beth Carmona.

Apesar de ter começado em 1974, o Rumo só foi gravar seu primeiro LP em 1981, depois que Ziskind já tinha se formado em Música pela ECA-USP. "Era horrível ser independente nos anos 1980! Gravar um disco era que nem ir ao Ceasa para colher o que sobra da feira pro almoço", brinca Ziskind. Para sobreviver, também fazia trilhas e *jingles* para publicidade. Numa dessas, o músico foi convidado pela mulher do colega de banda para criar trilhas para os jornais da Cultura. Projeto vai, projeto vem, Ziskind acabou sendo requisitado pelos programas infantis – e entrou na "piração", como ele mesmo diz, de criar uma música com apenas uma sílaba: "Glub". "Usar uma palavra só na letra era uma ideia nova para a época, ainda mais em música para crianças", comenta. "Deu tão certo que o *Glub Glub* acabou sendo um abre-alas para o meu trabalho lá dentro."

Quanto a Cao Hamburger, ele tinha uma missão simples: fazer uma série de animação de massinha sobre cidadania, trânsito e a vida nas grandes cidades. Com ajuda do artista plástico Jejo Cornelsen e do roteirista Dionisio Jacob, o Tacus, Cao bolou a série e se enfiou no menor estúdio da Cultura: um cubículo de três metros de largura por dois de comprimento. Não que o diretor precisasse de muito espaço: em uma grande maquete que mostrava as ruas de uma cidade, ele conseguia filmar todas as cenas de que precisava mostrando os "urbanoides", dois carecas com cara de enfezados, que viviam se espezinhando em situações corriqueiras. "Uma vez passei lá, a gente conversou. Não sabia quem era, mas gostei dele e daquele negócio de massinha", lembra Roberto Muylaert.

O que Cao precisava mesmo era de tempo: cada cena tinha de ser filmada quadro a quadro, com massinha de modelar, arame e alguma espuma. Quem passava no estúdio se encantava com o diretor, manipulando seus bonequinhos como se ainda fosse criança, mas com a paciência de um monge tibetano. Era um trabalho lento: cada episódio, de cerca de 50 segundos de duração, levava pelo menos uma semana para ser feito. Para produzir os 26 programas d'*Os Urbanoides*, Cao gastou o ano todo de 1991. Devagar e sempre, deu certo: *Os Urbanoides* acabou ficando para a história como o primeiro programa de televisão do país feito em animação de massinha.

Enquanto Cao precisava apenas de paciência para trazer *Os Urbanoides* à realidade, outro programa da Cultura passava por uma grave crise em sua produção. Os roteiros de 30 episódios foram "jogados no lixo" por não "fazerem sentido", a equipe técnica e os diretores brigavam constantemente e nada parecia entrar nos eixos. Para piorar, a equipe da Fundação Padre Anchieta precisava mostrar resultados – afinal de contas, o programa estava sendo financiado com mais recursos da Fiesp, repetindo a dobradinha de sucesso de *Rá-Tim-Bum*. A situação era caótica. Para não colocar o nome da Fundação em risco com os parceiros – e o amigo Mário Amato –, Roberto Muylaert tomou uma decisão drástica: deslocou a diretora de programação, Beth Carmona, para o comando do programa. Se ela não desse jeito, ninguém daria.

A fim de ajudá-la, Beth recrutou ninguém menos que a filha do presidente. Não era um caso de nepotismo: Anna – a filha em questão – parecia já ter dado sinais de que tinha mérito além do sobrenome. Depois de se formar em Cinema pela ECA-USP, ela evitou o caminho fácil de se proteger debaixo das asas do pai e foi trabalhar na TV Gazeta. Na emissora da avenida Paulista, uniu-se à produção do *TV Mix*, apresentado por um jovem falante e inquieto: Serginho Groisman, que anos antes chefiava o Centro Cultural Equipe, ligado ao colégio de mesmo nome.

Na Gazeta, Anna encontrou um ambiente propício para inovações: muito espaço disponível no ar e baixo orçamento. Exibido entre 1987 e 1989, o *TV Mix* teve boa repercussão em São Paulo – a ponto de chamar a atenção da Cultura. Em pouco tempo, a equipe de Serginho Groisman se mudava da Paulista para a Barra Funda – e Anna foi junto com ele. "Todo mundo que trabalhava comigo via que eu não estava ali para brincadeira, que eu não era filhinha de papai", lembra.

Na rua Cenno Sbrighi, os dois reprisaram a fórmula que começara a ser desenvolvida no *TV Mix* e se tornaria marca registrada dos projetos de Groisman no futuro: plateia adolescente, convidados famosos, apresentações musicais e, vez por outra, matérias externas sobre temas do universo jovem. A Anna cabia produzir essas matérias, em parceria com outra repórter da Cultura, Regina Soler, que já tinha passado por programas de pegada jovem como o *Vitória*. Além disso, havia convidados: Paulo Lima, editor da revista *Trip*, falava sobre esportes radicais, enquanto Kid Vinil era o especialista cheio de dicas de música. Diário, o *Matéria Prima* – nome do programa – estreou em 18 de junho de 1990, exibido às 19h30, logo depois do *Rá-Tim-Bum*. O projeto começou bem, especialmente por dar espaço aos adolescentes sem abdicar do uso dos neurônios.

Mesmo assim, Anna estava insatisfeita: fã da Nouvelle Vague e de cineastas como Wim Wenders e Jean Luc-Godard, o que ela queria mesmo era fazer ficção. "Eu estava cansada do documental. Não era minha praia, e foram três anos só fazendo isso." Logo, ela não hesitou quando uma vaga foi aberta como diretora de segunda unidade para o novo programa infantil da emissora, produzido em parceria com a Fiesp. Não era um grande cargo: normalmente, o diretor de segunda unidade é responsável por filmar apenas algumas cenas, com coadjuvantes, enquanto a primeira unidade cuida do "grosso" e com os principais atores. Mas era um começo. Ou quase: ao chegar ao novo posto, Anna fez de tudo um pouco – menos dirigir. Logo no início, ela foi realocada por Beth Carmona para o grupo de roteiristas, chefiado por um irritadiço Flavio de Souza.

Não era à toa: depois do fim do *Rá-Tim-Bum*, aquele projeto estava sendo tocado com carinho pelo roteirista. Casado com a atriz Mira Haar, com um filho de 10 anos – Leonardo – e outro nos planos, ele andava às voltas com a ideia de criar uma série sobre relações familiares. Por coincidência, na mesma época, Beth Carmona havia adquirido os direitos de exibição de *Papai Sabe Tudo*, que começou a ser transmitida pela emissora nos domingos à tarde.

Produzida pela americana CBS, *Papai Sabe Tudo* foi uma das atrações que definiram o conceito de *sitcom* (*situation comedy* ou comédia de costumes), até hoje muito utilizado pelas emissoras de TV[21]. O programa mostrava o dia a dia de uma família feliz em um subúrbio americano, na melhor propaganda do *American way of life*. O projeto começou como um programa de rádio, ainda nos anos 1940, e acabou sendo adaptado para a TV em 1954. No Brasil, o programa foi exibido pela TV Tupi nos anos 1960.

"Era uma atração de fim de tarde, no domingo, quando a Beth Carmona e eu éramos crianças. Era o momento família da TV na época", lembra Flavio de Souza. Além disso, o seriado moldou uma fórmula – aproveitada nos anos 1960 por programas como *Família Trapo* e, na década seguinte, *A Grande Família*. A reexibição de *Papai Sabe Tudo*, iniciada em maio de 1990 pela Cultura, pôs a cabeça de Flavio para rodar. Pouco tempo depois, ele enviou à "chefe" um argumento com suas novas ideias. O nome era sugestivo: *Mundo da Lua*.

A ação central de *Mundo da Lua* girava em torno da vida de Lucas Silva e Silva, um garoto de 10 anos da classe média paulistana. No primeiro episódio, após receber inúmeros presentes "chatos" – meias, cuecas, camisas – em seu décimo aniversário, Lucas ganha do avô um gravador antigo. O curioso artefato – uma versão moderna do clássico "querido diário" de romances adolescentes – lhe permite gravar histórias e se transportar para o mundo da imaginação (ou seja, "da Lua"), "onde tudo pode acontecer".

O garoto tinha motivos para querer sair da realidade: ele dividia o quarto com o avô, enquanto sua irmã mais velha, Juliana, tinha um espaço só para ela. Os pais dos dois viviam sempre ocupados: Carolina, a mãe, dava duro em uma loja de roupas, enquanto Rogério era professor e se dividia em três empregos para pagar as contas da casa. Todos juntos – mais a empregada Rosa – se apertavam em um apartamento pequeno. Afinal, aquela era uma família de classe média vivendo os tempos de uma das piores crises econômicas do Brasil.

Cada episódio, porém, tinha uma estrutura diferente: às vezes, Lucas começava no mundo da imaginação e voltava à realidade. Em outras, o garoto tinha um problema na realidade e passava o resto do episódio "na Lua". No papel, as ideias de Flavio, desenvolvidas com a roteirista Claudia Dalla Verde, podiam fazer sentido, mas quando os primeiros pilotos foram gravados tudo ruiu. "Parecia uma novela malfeita", lembra Beth Carmona.

Foi nesse estágio que Anna chegou à equipe. Sem nunca ter trabalhado com roteiro antes, ela se embrenhou nos livros para tentar ajudar os parceiros a criar uma estrutura dramática para o *Mundo da*

Lua. Assim como outros tantos roteiristas e cineastas – o exemplo mais famoso é George Lucas, de *Star Wars* –, ela encontrou a resposta em *O herói de mil faces*, obra do professor e mitologista americano Joseph Campbell.

O centro da história continuava no gravador, ponto de partida para discutir brigas de geração, conflitos em que a criança quer uma coisa e o pai, outra. Mas a estrutura ficava mais simples: todo episódio tinha seu início no mundo real, com a exposição de algum conflito para Lucas. Sem saber como resolvê-lo, o garoto se refugiava no seu quarto com o gravador, entrando no mundo da imaginação toda vez que usava seu bordão. "Alô, alô, planeta Terra chamando! Planeta Terra chamando! Esta é mais uma missão do diário de bordo de Lucas Silva e Silva, falando diretamente do *Mundo da Lua*, onde tudo pode acontecer". Nesse mundo da imaginação, que podia ser a Lua, uma versão paralela da realidade ou até mesmo um jogo de videogame, o garoto descobria a solução para seu problema, quando regressava à vida real, para um final feliz.

O cenário foi transformado: do apartamento apertado da ideia original, a família Silva e Silva se mudou para um sobrado espaçoso, inspirado em um imóvel de verdade, localizado na rua Zapará, 97, no bairro do Alto de Pinheiros, zona oeste da capital paulista. Além disso, uma nova equipe foi contratada, chefiada por Roberto Vignati, veterano do teatro paulista, e Marcos Weinstock, o responsável pela cenografia do *Roda Viva* e do *Metrópolis*. "Tudo ficou maior. De repente, a equipe tinha fotógrafos e figurinistas de cinema, um *upgrade* grande", comenta Flavio de Souza.

Até mesmo o gravador de Lucas mudou: no piloto, ele era feio e sem graça, preto, com alça. Foi só na segunda versão que o dispositivo ganhou uma cara charmosa, inspirado no Geloso 256, gravador de rolo feito pela fábrica italiana homônima em 1959. A curiosidade é que o aparelho utilizado na série não funcionava de verdade: para as cenas em que Lucas gravava seu diário e o gravador acendia os botões e girava os rolos, os atores usavam uma réplica feita pelo departamento de Efeitos Especiais da TV Cultura. É fácil perceber a manobra: toda vez que o gravador funciona, ele está perto de um objeto (como um brinquedo ou uma almofada) para esconder os fios que lhe davam "nova vida".

Para Flavio de Souza, a estrutura era meio "careta". "Eu achava meio chato isso de começar na realidade, ir para a fantasia e voltar depois que o Lucas tivesse aprendido alguma coisa", conta o roteirista. "Era engraçado: a Anna era tão fã do Godard e do Wim Wenders que acabou inventando uma coisa que é completamente o oposto deles, bem tradicional." Mas, anos depois, ele próprio reconhece: sem ela, "talvez o *Mundo da Lua* não tivesse dado tão certo".

Com os roteiros encaminhados, era hora de voltar aos estúdios depois dos malfadados pilotos. Na frente das câmeras, uma equipe de peso, contratada mediante parceria com a Fiesp (avaliada em US$ 500 mil, segundo números da época) e pelo apoio cultural das marcas de eletrodomésticos Brastemp e Walita. Ao todo, o programa custou cerca de US$ 800 mil[22]. Além disso, a Globo também dava uma mãozinha, ao ceder os atores Antônio Fagundes e Gianfrancesco Guarnieri – em troca, a emissora carioca ganhava o direito de exibir todos os episódios da série no futuro. Fagundes e Guarnieri eram Rogério, o pai, e Orlando, o avô de Lucas, respectivamente. O papel de Carolina ficou com Mira Haar, mulher de Flavio de Souza, enquanto veteranos como Edson Celulari, Marisa Orth, Laura Cardoso, Lucinha Lins, Etty Fraser, Denise Fraga e até o próprio Flavio de Souza contracenaram nos estúdios da Fundação Padre Anchieta.

O papel principal, porém, ficou com um novato: o ator Luciano Amaral, de apenas 10 anos. Ele entrou na profissão por acaso. A irmã mais velha, Luciana, era modelo adolescente, e a mãe de Luciano não tinha com quem deixar o caçula – assim, Luciano ia a todos os testes e trabalhos da irmã. Certa vez, calhou de Luciana esperar sua chance em um teste numa produtora que também buscava um menino de uns 6 anos para um comercial. Sem nem entender muito bem o que estava acontecendo, Luciano acabou passando no teste – e virou o menino do Vick Vaporub.

Outros comerciais se seguiram – "naquela época, ainda não havia esse frenesi todo de mãe querendo que o filho pequeno trabalhe na TV", lembra Luciano – e, de teste em teste, o menino acabou aprovado no *Mundo da Lua*. Para ele, tudo não passava de uma brincadeira: na parte "real" do programa, Luciano basicamente representava a si mesmo. Quando a aventura ia para o mundo da imaginação, ele só se divertia. "Eu podia fazer qualquer coisa por estar no programa. Ser piloto de Fórmula 1? Podia. Ser o jogador que faria o Brasil ganhar a Copa do Mundo? Ir para a Lua? Também", lembra Luciano.

O elenco de veteranos não chegou a intimidar o garoto, que não assistia muito à TV quando era criança – apesar de ser de São Paulo, Luciano passava finais de semana e férias com a família no interior, jogando bola na rua e andando de bicicleta. "Eu não sabia quem eram eles. Para mim, aqueles adultos estavam ali para brincar comigo. Um brincava que era o meu avô, o outro brincava que era meu pai, uma dizia que era minha mãe, e eu deixava [risos]", conta o ator. Até camisa-10 ele foi: em um episódio especial, que teve a participação de jogadores como Emerson Leão e Roberto Rivelino, Luciano/Lucas marcou o gol que deu o então inédito tetracampeonato da Copa do Mundo ao Brasil.

A rotina de gravações também não foi das mais simples: por conta dos obstáculos iniciais, a dinâmica nos estúdios foi acelerada. Não havia refresco: as gravações iam de segunda a sábado, das 13h às 20h. Na parte da manhã, a equipe técnica ajustava estúdios e cenários para a atividade vespertina, além de se preparar para as externas que o programa exigia. Quando o roteiro pedia cenas em uma escola, por exemplo, a equipe da Cultura ia até o Sesi de Osasco para as gravações – mais um efeito da parceria da emissora com a Fiesp. "As crianças vão à escola e usam uniforme, o que era legal, dava realismo para a série, mas foi uma costura institucional trabalhosa", explica Beth Carmona.

Havia lados positivos, porém: com orçamento mais folgado, a produção podia ousar um pouco, como isolar um estúdio inteiro da Cultura para fazer um cenário na Lua. "Parecia um cenário da Disney", lembra o artista plástico Silvio Galvão, recém-promovido a chefe do departamento de Efeitos Especiais da emissora. Fã de George Lucas, Galvão adorou fazer a Lua do título do programa. Além disso, ele também criou armaduras da época das Cruzadas – para o São Jorge interpretado por Edson Celulari –, uma reconstrução do capacete do russo Yuri Gagárin e uma reprodução da Taça Jules Rimet.

O ambiente fantástico do programa fez o tímido Galvão ir até para a frente das câmeras: em um dos episódios mais assustadores da série, ele interpretou o Lobisomem que assombra Lucas e seus primos. Além disso, nos capítulos que se passavam na Lua, o artista plástico foi o Dragão, tradicionalmente combatido por São Jorge. Quem o derrotou, porém, foi o calor dos estúdios da TV Cultura: "A fantasia do Dragão era muito pesada. Um dia, quando tiraram a minha máscara no fim de uma cena, eu estava desmaiado", lembra Galvão.

Além da temperatura, era necessário lidar com egos e conflitos de horário. Antônio Fagundes, por exemplo, dividia seu tempo entre *Mundo da Lua* e as gravações de *O Dono do Mundo*, novela da Globo na qual interpretava um cirurgião plástico inescrupuloso. De segunda a quarta-feira, o ator ficava no Rio de Janeiro para fazer as cenas do folhetim global. Na quinta, voava para São Paulo e chegava à Fundação Padre Anchieta querendo gravar ansiosamente – o que nem sempre dava certo. "Ele era meio chatinho mesmo", comenta Roberto Muylaert.

Já a atriz Mira Haar ficou grávida durante as gravações – em outro incidente real que inspirou episódios da série. Pai da criança, o roteirista Flavio de Souza encerrou a série com Lucas ganhando um irmãozinho: Eduardo, que foi interpretado pelo "bebê de verdade" Teodoro Haar de Souza. Eduardo, por sinal, é também o nome do personagem de Flavio de Souza no programa – mais conhecido como tio Dudu. Além de aparecer em cena no último dos 52 episódios de *Mundo da Lua*, Teodoro também é a criança que aparece no ultrassom exibido no episódio 27 da série, "Sala de espera". Não basta ser filho: tem de participar.

Como *Papai Sabe Tudo* e outras *sitcoms* clássicas da televisão, *Mundo da Lua* inicialmente foi exibida aos domingos, às 18h30. A série ainda tinha duas reexibições: aos sábados, às 18h30, e às quintas-feiras, às 21h. O primeiro episódio, "Bem-vindos ao Mundo da Lua", foi transmitido em 6 de outubro de 1991. O programa foi elogiado na imprensa: na *Folha de S.Paulo*, Annette Schwartsman destacava que "*Mundo da Lua* ensina sem ser chato", e tecia elogios ao ator Luciano Amaral, "que tem um rosto extremamente expressivo e engraçado, sem exageros". Na *Veja*, o repórter Silvio Giannini destacava que "as crianças se comportam como na vida real" e dizia que o programa "tem tudo para agradar".[23] Nem todo mundo, porém, ficou satisfeito com o resultado final: "Tem alguns episódios que eu não posso nem assistir, me dá raiva", diz Flavio de Souza, duas décadas depois da estreia, ainda remoendo o caso dos capítulos "jogados no lixo".

Mas a estratégia dominical não surtiu efeito: nas medições do Ibope, *Mundo da Lua* girava em torno de 3 pontos de audiência na Grande São Paulo, com picos de até 7 pontos. Era bom para a média da Cultura, mas pouco para as críticas positivas da imprensa e a presença de atores conhecidos no elenco. O problema? A concorrência: na época, a Globo exibia o humorístico *Os Trapalhões*, enquanto o SBT tinha o *Programa Silvio Santos.*

O programa só engrenou mesmo em abril de 1992, quando foi transferido de horário e de dia: *Mundo da Lua* começou a ser exibido de segunda a sexta-feira, às 19h45, depois da dupla *Glub Glub e Rá-Tim-Bum*. Logo no início, a audiência dobrou: saltou para 6 pontos, com picos de 8. Era o suficiente para alcançar o terceiro lugar no Ibope e incomodar o segundo colocado – o SBT, que naquele horário exibia o telejornal *TJ Brasil*. Com o tempo, *Mundo da Lua* conseguiu chegar a 14 pontos de audiência, roubando telespectadores até das novelas da Globo.

Para alguns, parte da culpa era do próprio Antônio Fagundes. Seu personagem em *O Dono do Mundo*, Felipe Barreto, era um grande cafajeste: além de decisões antiéticas nas mesas de cirurgia, a grande ambição do médico era transar com Márcia, a personagem de Malu

Mader, a noiva virgem de um de seus funcionários. Exibida no final de 1991, a novela mostrava um Fagundes tão canalha que a maioria dos espectadores não podia acreditar – e preferia a versão "Rogério Silva" do ator. "*Mundo da Lua* era uma opção do horário nobre que não falava de sexo, tiro e violência o tempo inteiro. Foi a chave do nosso sucesso", aposta Flavio de Souza. Havia ainda outro aliado: a tão sonhada antena de Muylaert, inaugurada em março de 1992, elevou a audiência média da Cultura em 50% naqueles primeiros meses[24].

À revista *Veja*, Beth Carmona declarou posteriormente que a mudança foi uma decisão estratégica. "A criança chegava da escola e ficava sem nenhuma boa opção para sua idade."[25] Datada de outubro de 1992, a mesma reportagem louvava os índices de Ibope da Cultura e chamava *Mundo da Lua* de "carro-chefe de sua programação", declarando ainda que, apesar de Fagundes e Guarnieri, o grande astro da atração era mesmo Luciano Amaral, "o amigo do fim da tarde".

Embalada pelo sucesso de *Mundo da Lua*, a TV Cultura resolveu investir em uma sequência do programa em 1992. Aproveitando o mesmo cenário da produção original e o seu protagonista, *Lucas e Juquinha* consistia em uma série de esquetes curtos sobre acidentes domésticos. A diferença é que dessa vez quem aprontava não era Lucas, mas seu primo mais novo, Juquinha. Vivido pelo bonachão ator mirim Guilherme Fonseca, Juquinha aprontava altas confusões com chuveiros, tesouras e outros itens domésticos capazes de machucar qualquer criança.

A ideia de aproveitar o cenário do *Mundo da Lua* foi daquele rapaz de rosto expressivo que andava escondido no menor estúdio da emissora: Cao Hamburger. Depois do sucesso de *Os Urbanoides*, ele ganhou carta branca para propor qualquer ideia. "Achei que a gente devia aproveitar aquele cenário bonito que ainda não tinha sido desmontado." Para manter o espírito da série original, o roteiro ficou com Flavio de Souza – apesar de terem estudado no mesmo colégio e na mesma faculdade, Flavio e Cao só se conheceram mesmo na Cultura. Dessa vez, o roteirista se inspirou no Bolinha, da turma da Luluzinha dos quadrinhos, para fazer *Lucas e Juquinha*. Nos gibis, Bolinha tinha um primo capaz de cometer coisas horríveis – mas, no fim das contas, quem levava a culpa era mesmo ele. "Ou seja, o Lucas", diz Flavio.

Nos estúdios, Cao Hamburger teve sua primeira experiência dirigindo atores. Como se não fosse suficiente, ele resolveu filmar o projeto usando câmeras de cinema – algo pouco comum na época, mas coerente com o nível de detalhamento a que o diretor estava habituado. A meta era de fazer um curta com atores, mas com uma linguagem digna de desenho animado, com cortes rápidos e muitos planos.

Foi difícil obter o apoio dos técnicos para a empreitada: ao contrário de Cao, acostumado a viver no mundo da massinha, a equipe de câmeras da Cultura estava habituada a gravar 15 minutos de cenas em um dia. "No *Lucas e Juquinha*, a gente gravou um minuto de cena em dois dias. Foi ali que eles viram que ia ser encrenca trabalhar comigo", brinca Hamburger. O nível de perfeccionismo do diretor fez o tamanho do projeto ser reduzido: dos 12 esquetes planejados inicialmente, apenas cinco foram de fato produzidos e levados ao ar, a partir de 5 de outubro de 1992. A edição, ágil, lembrava clássicos dos desenhos animados como *Tom & Jerry*. Já a vinheta de abertura, narrada por Gérson de Abreu, pegava emprestado o visual dos Looney Tunes. No encerramento, no lugar do "isso é tudo, pessoal", havia um recado elucidativo: "Criança, todo cuidado é pouco".

O esforço dos técnicos e de Cao acabou recompensado: além da tradicional vitória como Melhor Programa Infantil da Associação Paulista de Críticos de Arte (APCA), *Lucas e Juquinha* também levou uma medalha de ouro no Festival de Nova York, como o melhor vídeo institucional educativo para TV de 1993.

Não foi só: também "era o começo de uma bonita parceria".[26]

5. Do *Mundo Encantado* ao Castelo do Dr. Victor

Enquanto Lucas Silva e Silva encantava o Brasil com suas aventuras no *Mundo da Lua* em 1992, seu criador vivia problemas bem mais terrenos: após o fim das gravações do programa, Flavio de Souza se viu sem emprego e com dois filhos – um deles, recém-nascido – para sustentar. Por sorte, não demorou muito e o telefone tocou novamente: a Cultura queria começar um novo projeto. Ou quase: a ideia da emissora era produzir uma continuação de *Rá-Tim-Bum*. A princípio, era algo simples: eliminar quadros que não tinham dado certo, colocar outros no lugar e produzir mais uma batelada de episódios do novo projeto, que tinha o sugestivo nome de... *Rá-Tim-Bum 2*.

Não era uma ideia ruim: na época, o *Rá-Tim-Bum* estava começando sua quarta reprise seguida de 192 episódios. Para uma emissora de cofres magros como a Cultura, as reprises são uma ferramenta útil para preencher a grade de programação. Com as crianças, que suportam melhor a repetição contínua de um programa, isso era ainda mais estratégico. Mas até a paciência dos pequenos tinha limite – e Muylaert não queria que a "sua Cultura" continuasse com a pecha de ser um canal datado.

O primeiro passo para a renovação da programação tinha sido dado com o próprio *Rá-Tim-Bum*, que ajudou a pôr fim a uma década de *Bambalalão*. O próximo da lista a ser encerrado foi o *Revistinha*, que saiu do ar em 1991. "Era um programa bacana, mas no começo dos anos 1990, ele já tinha cumprido sua tarefa", lembra Beth Carmona. Para preencher a lacuna, a emissora trouxe à tona o *X-Tudo*, um programa de variedades para as crianças mais crescidas. Tal qual o lanche que lhe dava nome, qualquer ingrediente cabia no *X-Tudo*:

literatura, ecologia, culinária, reportagens urbanas, viagens à Disneylândia ou até mesmo noções de escotismo.

Assim como seu antecessor, o *X-Tudo* era uma revista eletrônica, com quadros que se sucediam, sem necessariamente ter uma relação direta. Um dos momentos mais marcantes era o da Sherazade, que trazia dicas de livros infantis em uma conversa animada entre a atriz mirim Fernanda Souza e Raquel Barcha, no papel da princesa árabe das *Mil e uma noites*. Também se destacavam o programa de respostas "Você Sabia?", com os atores Norival Rizzo e Márcio Ribeiro; e o "Culinária", com receitas apresentadas por um carismático boneco de espuma, o X. Vermelho e muito simpático, o boneco foi criado por Fernando Gomes, que também o manipulava. Também apresentava o *X-Tudo* outro remanescente do *Bambalalão*, Gérson de Abreu.

"O *X-Tudo* era uma revista eletrônica, já bastante influenciada pelas coisas que a gente via lá fora", diz Beth. "Apesar de ser um programa sofisticado, ele era muito barato do ponto de vista da produção, especialmente porque usava um estúdio só", comenta a diretora de programação infantil Bia Rosenberg. Dirigido por Regina Rheda e Arcângelo Mello Júnior, o *X-Tudo* estreou em 11 de abril de 1992. Inicialmente, o programa era exibido apenas aos sábados, às 18h – em seus primeiros meses, disputava o terceiro lugar de audiência na televisão, com 4 pontos no Ibope. Depois, com o tempo, acabou sendo transferido para os dias de semana, juntando-se ao *Glub Glub* e ao *Rá-Tim-Bum* em um bloco de atrações infantis.

O próximo da fila era, portanto, o *Rá-Tim-Bum*. Para pensar o novo projeto, a equipe original foi toda reunida na Cultura no começo do segundo semestre de 1992: Fernando Meirelles, Marcelo Tas, Paulo Morelli, e os dois Flávios – de Souza e Del Carlo. Todos os membros participaram dos primeiros encontros, mas aos poucos a equipe foi diminuindo. Flávio Del Carlo saiu logo no início, ocupado com outros projetos na Cultura. Na sequência, Marcelo Tas. Fernando Meirelles, por sua vez, tinha começado sua produtora de cinema e publicidade no ano anterior, a O2 Filmes, junto com Paulo Morelli. No fim das contas, Flavio acabou ficando sozinho. Para compensar sua ausência, porém, Fernando Meirelles sugeriu à Cultura o nome de Cao Hamburger, que ganhou o apoio de Muylaert depois do bem--sucedido *Lucas e Juquinha*.

Apesar de ser um projeto simples, a Cultura deu tempo à dupla. Isolados em uma sala, Flavio e Cao começaram a criar um verdadeiro mundo encantado, cheio de novidades para o programa original. Era tanta coisa, segundo Flavio de Souza, que a história acabou ganhando novo rumo: a direção da emissora percebeu que, melhor do que apenas atualizar o *Rá-Tim-Bum*, seria criar uma atração do zero. "Era tanta coisa junta que o único nome viável era *Mundo Encantado*". Já Cao Hamburger tem uma memória diferente. Certo dia, em meio a uma de suas intermináveis sessões criativas com Flavio, chegou uma ordem da direção da emissora: parem tudo que vocês estão fazendo e comecem um programa novo. "Foi a melhor notícia que eu poderia ouvir", lembra o diretor.

Sobraram poucos registros do que seria o *Mundo Encantado* de Flavio e Cao – muitas das ideias, segundo os autores, nem sequer chegaram a ser anotadas. O cerne da atração estava nas aventuras de três crianças, que usavam portais mágicos para se locomover pelo mundo. A cada dia da semana, elas visitavam diferentes ambientes – um museu, um parque, um circo, uma escola, a loja de um inventor maluco chamado Arquimedes e até mesmo um castelo, no topo de uma colina. Alguns quadros do *Rá-Tim-Bum* ficariam no programa – como a contação de histórias feita por Helen Helene e o personagem Euclides, interpretado pelo ator Carlos Moreno. Entre as novidades, havia personagens de nomes triviais, como Lana, Lara e Penélope, ou mais esquisitos – Mau, Tíbio e Perônio. Para a dupla, foram dois meses muito divertidos tendo ideias malucas.

Na hora de apresentar o projeto à direção da emissora, a criatividade encontrou seu limite: o bolso. Eram muitos ambientes, muitos personagens, um projeto ambicioso que custaria um zilhão de dólares. Era preciso escolher. "Disse para os meninos que íamos pegar um dos ambientes e fazer o programa com ele", lembra Muylaert. Depois de muitas discussões, ficou decidido que o projeto ia se basear no ambiente da escola. Uma atriz seria a professora, mas todos os alunos seriam bonecos de espuma. Cao saiu derrotado da reunião. "Eu não queria fazer a *Escolinha do Professor Raimundo* com bonecos", lembra.

Sucesso da TV na época com o humorista Chico Anysio, a *Escolinha* é uma fórmula antiga do entretenimento brasileiro. Ela surgiu na década de 1930, com a Escolinha da Dona Olinda, apresentada por Nhô Totico na rádio Cultura de São Paulo. Duas décadas depois, em 1952, o compositor Haroldo Barbosa aproveitou a mesma receita para fazer a sua *Escolinha do Professor Raimundo*, na Rádio Mayrink Veiga, no Rio de Janeiro. A Chico Anysio, naquela época um iniciante, coube o papel do mestre, autor de frases como "E o salário, ó..." O sucesso na rádio levou o esquete a ser repetido inúmeras vezes na televisão, nos programas de Anysio na Globo. No começo dos anos 1990, a *Escolinha* "tava na boca do Brasil, tava na boca do povo", já como um programa solo, com comediantes como Costinha, Castrinho, Grande Otelo e até Rogério Cardoso, mas cheio de piadas de teor sexual e calcadas em estereótipos. Os tempos eram outros, mas não havia "sambarilove" que deixasse Cao contente com a proposta.

Ainda atônito, Cao voltou para a sala de produção. No meio do caminho, teve um estalo: por que não optar por outro ambiente? O castelo da colina, quem sabe. Seu dono era um cientista, o Dr. Victor. Era uma referência dupla, que homenageava tanto Victor Frankenstein, o pesquisador maluco que cria o monstro na obra homônima da poeta Mary Shelley, como o *Frankenstein Punk* que Cao dividiu com Eliana Fonseca em 1986.

Para ter um conflito, necessário a qualquer narrativa, o castelo saiu da colina e foi parar no meio de uma grande cidade. Depois disso, Cao pescou alguns destaques do *Mundo Encantado*, como o trio de crianças que funciona como gatilho para o início da história. Empolgado, o diretor passou horas batucando, em uma velha máquina de escrever, um resumo do que poderia ser a nova história. No dia seguinte, ele chegou cedo à Cultura para mostrar o que tinha feito a Flavio, Bia Rosenberg e Beth Carmona. Sinal verde – desde que Cao e Flavio não pisassem fundo no acelerador da criatividade.

Repaginado, o projeto – chamado provisoriamente de *Castelo Encantado* – acabou sendo aprovado pela diretoria, mas ainda precisava de um nome – e de patrocínios. Pela terceira vez, o presidente Muylaert recorreu à Fiesp para a nova superprodução da casa. Mas não ia ser fácil: a presidência da entidade havia trocado de mãos. Quem ocupava o cargo era o advogado e empresário Carlos Eduardo Moreira Ferreira. Ao contrário de Mário Amato, Muylaert e Moreira Ferreira não eram próximos. Nas primeiras reuniões com Muylaert, o novo presidente da Fiesp mostrou-se reticente com o investimento.

— Será que você não está vendo o que está acontecendo? – disse Muylaert, expondo mais uma vez seus argumentos: o sucesso do *Rá-Tim-Bum* e do *Mundo da Lua*, além da exposição direta da marca do Sesi graças ao uniforme utilizado por Lucas Silva e Silva e seus colegas da ficção.

— Tudo bem, tudo bem. Só que o nome do programa não pode ser só *Castelo*, tem de ter a palavra *Rá-Tim-Bum* – devolveu o executivo da Fiesp.

— Mas é muito esquisito, não tem nada que ver com o projeto.

— Se não for assim, eu não faço!

Muylaert topou. E saiu da reunião com um nome definitivo para o projeto: *Castelo Rá-Tim-Bum.*

Há poucos registros públicos do processo que transformou o *Rá-Tim-Bum 2* no *Castelo Rá-Tim-Bum.* Em agosto de 1992, uma reportagem da *Folha de S.Paulo*[27] revela que a Cultura preparava uma nova versão de *Rá-Tim-Bum*, sob os auspícios de Fernando Meirelles, que deixaria a direção-geral, substituído por Cao Hamburger. No mês seguinte, o mesmo jornal publica que o projeto que "daria continuidade ao premiado *Rá-Tim-Bum* se emancipou e vira um novo programa, no mesmo formato, para crianças de 6 a 8 anos".[28] Em novembro, o jornal *O Globo* aponta *Rá-Tim-Bum 2* como nome provisório da nova produção da Fundação Padre Anchieta.[29] Já a primeira menção pública ao nome *Castelo Rá-Tim-Bum* só acontece mesmo em maio de 1993, quando a *Folha de S.Paulo*[30] e *O Globo*[31] noticiam que as gravações do programa já tinham começado.

Segundo Cao e Flavio, a aprovação da diretoria para o *Castelo* aconteceu em dezembro de 1992. Já que era para inventar um programa novo, que ele fosse realmente inovador: a dupla se sentiu estimulada a criar um novo formato para a série, indo além das estruturas de *Rá-Tim-Bum* (com quadros) ou do *Mundo da Lua* (uma série de ficção, com episódios tradicionais). "O *Mundo da Lua* estava fazendo muito sucesso no Ibope. Isso virou uma referência para nós: crianças um pouco mais velhas gostam de histórias", lembra Cao Hamburger. Como a intenção do *Castelo* era atrair crianças de várias faixas etárias – mas, especialmente, entre 4 e 8 anos de idade –, surgiu a ideia de fazer um programa misto, que contasse uma história com começo, meio e fim, mas cuja ação fosse intercalada por quadros.

Era uma evolução nítida na história da Cultura. Ainda nos anos 1970, *Vila Sésamo* era um programa formado apenas por quadros, sem uma trama central. *Rá-Tim-Bum* seguia na mesma linha, mas possuía um "fiapo de história" – a narrativa metalinguística da família que assiste ao programa todos os dias. No *Castelo*, quadros e história tinham de ocupar praticamente o mesmo tempo na tela. Para que as duas coisas fizessem sentido juntas, Cao e Flavio decidiram que cada episódio tinha de ter um tema – um sentimento, uma emoção ou algo que pudesse ser ensinado aos telespectadores mirins. Anos mais tarde, Cao admitiu que a inspiração veio do sistema operacional Windows, uma das grandes novidades da tecnologia da época. Feito pela Microsoft, o sistema organizava os arquivos do computador dentro de pastas – ou melhor, de janelas. "No programa, os episódios tinham começo, meio e fim, mas, com os quadros, abrimos janelas para o mundo", declarou ele ao jornal *O Globo* em 2014[32].

Em pouco tempo, o núcleo central de personagens acabou mudando. Logo em um dos primeiros tratamentos, Dr. Victor se tornou um dos coadjuvantes do *Castelo*. Quem ocupou seu lugar como protagonista foi seu sobrinho Nino, um aprendiz de feiticeiro com 300 anos de idade. O personagem tinha duas inspirações claras: a primeira era a garota Nina, do *Rá-Tim-Bum* – para Flavio de Souza, o Nino é a versão masculina da personagem interpretada por Iara Jamra no programa anterior. A outra, diz o roteirista, foi o Mickey – que aparece no filme *Fantasia* como um aprendiz de feiticeiro. "Foi o primeiro filme que eu vi no cinema", conta Flavio.

Por pouco Nino não teve outro nome: na primeira versão da sinopse do programa, escrita em dezembro de 1992, o aprendiz de feiticeiro se chamava Ari. Seu intérprete, por coincidência, seria o ator Ary França, integrante de grupos de teatro conhecidos em São Paulo, como o Pod Minoga e o Ornitorrinco (de Cacá Rosset). Na mesma sinopse, é feita a primeira menção ao personagem de uma "bruxa" – Morgana, a tia-avó de Nino, com 5.999 anos de idade. Responsável pela contação de histórias, a bruxa era então descrita como mãe (e não tia) do Dr. Victor, e seria interpretada pela atriz Myriam Muniz.

Outro destaque da primeira sinopse do programa, feita em dezembro de 1992, era a participação de personagens bem conhecidos do público: Lucas Silva e Silva e seu primo Juquinha. Os dois seriam parte do trio de crianças que aparecem todos os dias no *Castelo*. "Esse cruzamento ia acabar fritando a cabeça da galera", diz Flavio de Souza, autor dos três programas. O roteirista nega a informação, enquanto Cao Hamburger aventa a possibilidade de o plano ter existido. "Seria uma loucura, porém." Em diversas matérias publicadas no início de 1993 sobre o *Rá-Tim-Bum 2*, os dois personagens são citados, bem como seus intérpretes Luciano Amaral e Guilherme Fonseca. No fim das contas, Lucas acabou virando Pedro, enquanto Juquinha virou... Zequinha. Para completar o grupo, havia ainda Biba, "uma menina de 8 anos, meiga, simpática, astuta e decidida. Talvez nissei, talvez mulata". Na versão final do projeto, Biba acabou tendo 10 anos, sendo de fato uma menina negra.

O trio de crianças, porém, não era suficiente: era preciso criar um novo grupo de personagens para ajudar os roteiristas a desenvolver diferentes temas nos episódios do Castelo. Aqui, a inspiração veio da série de TV *Batman*, de 1966 – um dos programas favoritos de Cao quando criança. No programa, cada episódio tinha um vilão, que determinava o tom do episódio: um programa que tivesse a Mulher-Gato, para Cao, acabava sendo bem diferente de um capítulo que contasse com o Coringa.

Na primeira sinopse do *Castelo Encantado*, de dezembro de 1992, esses personagens visitantes já apareciam. Entre eles, havia a jornalista Penélope; "um índio"; "o homem do saco"; um personagem de lenda urbana que traria um saco cheio de tralhas e sucatas nas costas, incentivando Nino e as crianças a criar esculturas e traquitanas; "o homem das sete ferramentas", que conserta e inventa máquinas; e o "Dr. Ruídos", que produz sons a partir de garrafas. A maior parte dos personagens não sobreviveu ao segundo argumento da série, apresentado em janeiro de 1993, que já contava com sua escalação quase definitiva: o extraterrestre Etevaldo, o musical Bongô, a repórter Penélope, o vilão Dr. Abobrinha e o índio Ubiratã.

Nessa mesma sinopse, distribuída aos colaboradores da TV Cultura, o programa já era tratado como *Castelo Rá-Tim-Bum*. Tudo começava quando as três crianças eram enfeitiçadas por Nino e atraídas para um castelo, em um truque que apresentava o mundo mágico do programa para o espectador. A sinopse pode ser lida na íntegra abaixo:

> Lucas, Juquinha e Biba vão visitar o Castelo Encantado do Dr. Victor. A partir daí, vivem histórias e situações com os personagens que habitam o Castelo. No começo do programa, Dr. Victor nunca está, pois trabalha numa empresa, como qualquer homem comum. Quem recebe as crianças é Nino, o aprendiz de feiticeiro. Com ele, as crianças desenvolvem um pequeno enredo. Ao final do programa, Dr. Victor chega, parece sério e sisudo, mas logo se solta, fazendo piadas e brincadeiras. Intercalados a esse pequeno enredo, entram os quadros.
> Serão 70 programas de 26 minutos cada, dirigidos a crianças de 4 a 10 anos.[33]

Tudo parecia pronto para que o *Castelo* começasse a ser construído. A Cultura, porém, não contava com a astúcia de Silvio Santos. No meio da concepção do programa, ainda no final de 1992, o SBT fez um convite irrecusável a Flavio de Souza: escrever uma novela infantil, prevista para estrear ainda no primeiro semestre de 1993. *Mariana, a Menina de Ouro*, segundo reportagens da época, seria ambientada em São Paulo: sua protagonista seria uma garota rica que convive com a empregada, enquanto seus pais trabalham muito e brigam por dinheiro.

Mais do que isso, *Mariana* era parte de uma nova tentativa do SBT de produzir novelas dentro de casa – na época, a emissora era conhecida apenas por exibir folhetins mexicanos de baixa qualidade. A contratação tinha um motivo óbvio: *Mundo da Lua* roubara pontos preciosos de audiência do SBT no Ibope – e, na visão dos executivos da emissora paulista, não era "nada que a gente não pudesse produzir aqui". Entre os atores cotados para a produção, estavam velhos conhecidos da Cultura, como Mira Haar, Denise Fraga, Iara Jamra e Etty Fraser. A direção ia ficar com outro "astro em ascensão" do canal 2: Fernando Meirelles.

"Foi superdifícil contar para o Cao e sair da produção", lembra Flavio de Souza. Além disso, foi uma época bastante cansativa. Ao mesmo tempo que entregava as primeiras sinopses de *Mariana* para o SBT, Flavio corria contra o tempo para deixar o *Castelo* o mais alinhado possível, escrevendo argumentos e determinando temas para episódios, além de dar sugestões e mais sugestões para os quadros. No último dia antes de assinar o contrato com o SBT, Flavio passou uma noite inteira, sozinho, escolhendo temas e bolando as sinopses dos 70 episódios do *Castelo Rá-Tim-Bum*. Mas, enfim, ele se foi.

E agora, quem poderá nos defender?

6. Lava uma, lava outra!

Ao contrário do que muita gente acredita, um raio pode cair duas vezes no mesmo lugar. Não é comum, mas acontece. No final de 1992, Anna Muylaert não colocaria sua mão no fogo por algo assim: depois de entrar no *Mundo da Lua* e criar a estrutura dramática que fez a série ficar famosa, ela ganhou um "muito obrigado" da TV Cultura e ficou sem emprego. Enquanto Flavio de Souza colhia os louros das aventuras de Lucas Silva e Silva em um contrato com o SBT, ela se sentia abandonada pela emissora por não ter sido chamada para o novo programa que o parceiro tinha começado a fazer – e largado pela metade. "Foi um puta baque", lembra Anna.

Mas, de repente, o raio cai de novo – e lá estava a roteirista no começo de 1993 de volta à Água Branca para ajudar Cao Hamburger no projeto do *Castelo Rá-Tim-Bum*. Havia muito trabalho a ser feito: com a sinopse definida, várias áreas da Cultura precisavam avançar ao mesmo tempo para que as gravações começassem em um prazo razoável.

Em uma situação ideal, Cao já estaria sobrecarregado de tarefas e decisões importantes. Após perder Flavio de Souza, o diretor-geral do *Castelo* ganhava a missão quase impossível de ter de dar a palavra final em várias áreas – escolha de atores, cenários, definição dos roteiros, bonecos, quadros, equipe técnica... Era muita coisa, mesmo com o diretor chegando a praticamente "morar dentro da Cultura" durante o período de produção do *Castelo*. "Eu trabalhava até tarde, ia para casa, dormia e já voltava para a emissora. Era uma dedicação muito intensa." Por conta disso, Cao precisava de escudeiros em cada uma das áreas – e talvez ninguém mais do que Anna Muylaert pudesse ajudá-lo na hora do aperto quanto aos roteiros.

Mais uma vez, cabia à roteirista resolver um problema de formato. Além do sistema "Windows", que mesclava a relação entre a ficção e os quadros, a direção da Cultura decidiu que era hora de inovar também na área educativa dos programas. Para a diretora de programação Beth Carmona, era preciso ir além "do 1, 2, 3, do em cima *versus* embaixo" que reinavam nos programas da emissora nos anos 1980, no *Vila Sésamo* recusado por Roberto Muylaert e até mesmo no *Rá-Tim-Bum*, cujo espírito anárquico tentava se desamarrar do tradicional departamento de Pedagogia da Cultura, chefiado pela professora Célia Marques. A ideia era simples: se a televisão é um ambiente vivo, é possível usá-lo para mostrar outros estímulos além de cores, formas geométricas e direções.

Em busca de uma nova direção para o programa, Beth acabou encontrando a Escola da Vila, colégio fundado em 1980, no Butantã, zona Oeste de São Paulo. Pioneira ao adotar o método construtivista de Jean Piaget, a instituição era conhecida por ter um centro de estudos para a pré-escola, chefiado pela professora Zélia Cavalcanti. Para Piaget, psicólogo suíço que viveu entre 1896 e 1980, a criança aprende respondendo a estímulos aos quais é exposta – e é por esses estímulos que ela é capaz de construir seu conhecimento. Assim, meninos e meninas são capazes de aprender tudo, desde que a informação esteja contextualizada e faça sentido para o mundo deles – ou seja, não adianta mostrar a Teoria da Relatividade de Einstein a um garoto de 3 anos. Ninguém é gênio da Física no berço.

A convite de Beth Carmona, Zélia Cavalcanti assistiu ao *Rá-Tim-Bum* para analisar o que a série oferecia em termos educacionais e propor alterações ao programa, ainda na época em que *Rá-Tim-Bum 2* estava em gestação pela emissora. Após ver diversos episódios, Zélia escreveu uma análise com cerca de 20 páginas, que orientou a nova produção da TV Cultura. Um dos exemplos citados pela professora na análise era a forma de abordar um conceito trivial, como formas geométricas. No *Rá-Tim-Bum*, isso era feito de forma simples: um triângulo aparece na tela, e um narrador diz a palavra "triângulo". Era possível ir além, de forma lúdica: mostrar que um círculo, desenhado em três dimensões, pode virar uma bola; da mesma maneira, um triângulo poderia virar um cone, e os dois juntos poderiam formar um sorvete de casquinha.

Ou seja: mais do que inventar cinco mil jeitos diferentes de fazer uma criança contar de 1 a 5, como Flavio de Souza fez com as bananas no *Catavento*, era preciso ter uma história, um contexto, algo que fizesse sentido. Aquilo ia dar muito trabalho – e para isso foi recrutado um time de roteiristas para o *Castelo*. Veteranos de *Rá-Tim-Bum* e *Mundo da Lua*, Dionisio Jacob, o Tacus, e Claudia Dalla Verde foram os primeiros a se juntar ao time coordenado por Anna Muylaert, uma das principais responsáveis pela criação dos temas dos 70 episódios planejados para o programa. Eram ideias muito diferentes: de sentimentos humanos, como medo e preconceito, até matemática, arte e ciência. Para Anna, um dos principais objetivos dos temas era trazer conteúdo moral: "A gente queria que a criança fosse a protagonista da própria história, dando autoestima para ela", conta.

Para transformar os temas em histórias, porém, o trabalho passava por uma linha de montagem bastante intrincada. Cada tema poderia gerar diferentes sinopses: além das que foram escritas por Flavio de Souza antes de sua saída, Anna Muylaert também conta ter criado ideias de episódios. Segundo ela, cada episódio tinha até três sinopses diferentes – a versão definitiva seria decidida por um grupo que variava de composição, mas continha Cao, Anna, Tacus e uma das duas diretoras de programação da Cultura, Beth Carmona ou Bia Rosenberg – esta última responsável apenas pela área infantil.

Quando a sinopse – um resumo em poucas linhas do que seria o episódio – estava decidida, era hora de Tacus fazer a escaleta. A escaleta, segundo pregam os principais manuais de roteiros de cinema e TV, é uma estrutura na qual os roteiristas enfileiram as cenas do programa em sequência lógica, demarcando se são externas ou em alguma locação e resumindo o que acontece em cada uma delas. Nessa fase, ainda não é preciso criar diálogos, mas sim pensar nos ganchos que as falas e as ações dos personagens dão para a entrada de determinado quadro. "Muitas vezes, era mais difícil elaborar a escaleta, por conta da organização do programa, do que fazer o texto do episódio propriamente dito", lembra Tacus. Ao mesmo tempo, o tema dos episódios era distribuído aos roteiristas dos quadros – um time que tinha Anna, Tacus, Claudia Dalla Verde e também nomes como Marcelo Tas, Bosco Brasil, Mário Teixeira e um iniciante, Fernando Bonassi.

Assim como no *Mundo da Lua,* em que ajudou a formatar a estrutura "realidade-sonho-realidade", Anna Muylaert teve papel fundamental em criar um formato que fizesse sentido para o *Castelo Rá-Tim-Bum.* Todo programa tinha de começar com as crianças chegando ao castelo e Nino apresentando alguma situação ou conflito para começar a história. Logo depois, chegava um personagem coadjuvante, que lançava um desafio, uma brincadeira ou um problema.

Em menos de 15 minutos, a situação-problema tinha de ser resolvida, para o episódio conseguir ser encerrado com a chegada do Dr. Victor no castelo e as crianças irem embora para casa. Em meio a isso, era preciso ter a inserção de oito ou nove quadros ligados ao tema central – se o assunto daquele dia fosse esporte, por exemplo, os personagens poderiam cruzar com um quadro de formas geométricas com uma bola, ou um vídeo que mostrasse crianças brincando no quintal. "Deu um baita trabalho pra achar esse formato. Quem fez o negócio funcionar foi mesmo a Anna", diz Cao Hamburger. "Ela colocou os roteiros nos trilhos. Sem ela, teria dado merda."

Mais do que só desenvolver os quadros, era preciso também escolher aqueles que, de um cardápio de mais de 25 opções inventadas pela equipe de roteiristas do *Castelo*, fariam parte de um episódio. À primeira vista, tantas possibilidades de escolha poderiam resultar em uma verdadeira anarquia. Felizmente, seguindo o rito de que "disciplina é liberdade", todos os textos tinham de obedecer à bíblia, o documento "sagrado" que determina quais são as regras de um programa de TV, com fichas sobre quadros e personagens prontas para ser sacadas durante a concepção, gravação e edição do programa. E o Guardião da bíblia era o elo mais fraco da cadeia. Sim, ele mesmo: o estagiário.

Philippe Barcinski, porém, não era um mero estagiário – deixá-lo apenas servindo o cafezinho seria um grande desperdício. Ao ser contratado pela equipe da TV Cultura para participar do *Castelo Rá-Tim-Bum*, ele já tinha mais de cinco anos de experiência trabalhando com cinema e televisão.

Nascido no Rio de Janeiro em 1972, Barcinski soube desde adolescente que vídeo era "o seu negócio": aos 15 anos, participou da produção de *Leila Diniz*, filme biográfico sobre a musa do cinema brasileiro dos anos 1960, dirigido pelo veterano Luiz Carlos Lacerda, o "Bigode". Depois disso, foi assistente de outro mestre da sétima arte, Nelson Pereira dos Santos, de quem ficou amigo. Antes que a crise econômica e o governo Collor deixassem o cinema nacional na UTI, o rapaz ainda teve a chance de trabalhar como assistente de direção em *A Princesa Xuxa e os Trapalhões*, um grande exemplo dos "filmes pipoca made in Brazil" da época, comandado por José Alvarenga Jr.

Sem projetos em vista, Barcinski acabou prestando vestibular para Física na Pontifícia Universidade Católica do Rio de Janeiro. Quando seu pai foi transferido para São Paulo, porém, ele acabou se entregando à paixão e resolveu estudar Cinema na ECA-USP. "Eu comecei a estudar, mas queria mesmo era ir para o set de filmagem. Fui falar com o Bigode e ele me disse para mandar um currículo para a Cultura", lembra Barcinski.

De um dia para o outro, o rapaz se viu como o braço direito de Cao Hamburger, bem na fase da elaboração da bíblia do *Castelo*. A ligação entre os dois deu química: Cao vivia em uma profusão de ideias, e só a organização de Barcinski dava conta de anotar todas as invenções do chefe. "Era uma coisa bem anárquica, e eu tinha de ficar toureando o que ele fazia." Além de registrar as ideias de Cao, ele também era o responsável pelas reuniões com os roteiristas, mostrando quais quadros precisavam ser escritos para cada episódio.

"Era bastante coisa para uma pessoa só. Eu era estagiário só na teoria, por conta de acordos sindicais e burocracias", diz Barcinski, que chegou a trabalhar 14 horas por dia no programa. "Eu era solteiro e morava com meus pais. Me joguei de cabeça, foi uma viagem." Sua maior contribuição para o *Castelo*, porém, foi um pouco além de seu já abrangente cargo: escalar os atores para alguns dos principais papéis do programa.

Escolher quem serão as pessoas por trás dos personagens é uma das tarefas mais difíceis de qualquer programa de televisão. Fazer isso por meio de testes é algo ainda mais complexo – às vezes, há tantos candidatos bons que é complicado optar por algum deles. Em outros casos, sempre parece faltar o ator com um "tempero especial" para o personagem certo. Felizmente, nem todos os personagens precisaram ser preenchidos com ajuda de testes.

Alguns deles já estavam definidos desde o início. Era o caso de Luciano Amaral: mesmo depois que o programa já não tinha a dupla Lucas e Juquinha como personagens, ele estava talhado para fazer parte do trio de crianças que visita o castelo todos os dias. "Desde sempre a gente sabia que era o Luciano", explica Philippe Barcinski. Para o Dr. Victor, o escolhido foi o ator Sérgio Mamberti, em um convite feito diretamente pelo diretor Cao Hamburger. Além da proximidade entre os dois, Mamberti também era um veterano da Cultura, já tendo participado dos teleteatros da emissora nos anos 1970 e 1980, e do programa infantil *Curumim*.

Para fazer "par" com o tio Victor, nada mais justo do que outra feiticeira: Morgana, vivida pela atriz Rosi Campos. Formada em Jornalismo pela ECA-USP, Rosi nunca exerceu a profissão: já na faculdade, ela se apaixonou pelo teatro e, ao longo dos anos 1970 e 1980, fez parte de diversos grupos importantes da cena paulistana, como o Mambembe e o Ornitorrinco. Em 1989, ela criou o próprio grupo, o Circo Grafitti, que tinha em suas fileiras outros velhos conhecidos da TV Cultura, como Helen Helene e Gérson de Abreu. Na época em que o *Castelo* começou a ser produzido, Rosi estava na peça *Almanaque Brasil*, do Circo Grafitti.

Assim como Mamberti, a atriz foi convidada por Cao Hamburger para participar do projeto, após Myriam Muniz recusar o papel da feiticeira de 5.999 anos de idade. Se Morgana tinha quase o dobro da idade de Dr. Victor, o mesmo não valia para seus intérpretes: na época das gravações do *Castelo*, Rosi tinha 40 anos, enquanto Mamberti estava com 55. A diferença, no entanto, não era um grande problema: enquanto o tio Victor faria parte das cenas principais, Morgana só apareceria em um quadro próprio, como "contadora de histórias".

Era uma evolução natural de um dos melhores momentos do *Rá-Tim-Bum*, quando Helen Helene contava histórias com a ajuda de objetos e sucata. Na companhia de sua gralha de estimação, Adelaide, Morgana contava a história do mundo, do Antigo Egito à Inquisição, passando pelo primeiro voo de Alberto Santos Dumont e pela chegada de Pedro Álvares Cabral ao Brasil. Por ter quase 6 mil anos, a bruxa seria capaz de contar os episódios da História como quem os presenciou, atraindo a atenção das crianças.

Entre os personagens coadjuvantes, porém, todos precisaram de testes. E foi aí – no primeiro semestre de 1993 – que a estrela de Philippe Barcinski começou a brilhar. Nas poucas horas vagas que tinha, uma de suas principais diversões era ir a peças de teatro – dramas, comédias, tragédias; até mesmo teatro infantil valia. Em uma dessas peças para crianças, *Enq, o Gnomo,* o estagiário descobriu o ator Wagner Bello, um rapaz tímido e simpático. Bello fazia o protagonista da peça, e acabou recebendo por ela o prêmio de melhor ator da Associação dos Produtores de Espetáculos Teatrais do Estado de São Paulo (Apetesp).

Quando chegou a hora de procurar por um ator para fazer o extraterrestre Etevaldo, Barcinski se lembrou do que tinha visto na peça. Bello não precisou de muitas etapas para convencer a equipe da Cultura de que poderia assumir o papel do alienígena, criado para falar sobre o Universo e para perguntar coisas sobre a Terra. "O Etevaldo mostrava para a criança coisas que parecem óbvias para os adultos, mas que ela ainda não sabe direito", explica Cao Hamburger.

Não que fosse exatamente fácil surpreender: os testes na Cultura eram bem concorridos. Não era para menos: a reputação da emissora na programação infantil já tinha se espalhado, e havia poucos trabalhos em televisão em São Paulo naquela época. "Tinha muita gente quando fui fazer o teste", lembra o ator Eduardo Silva. Sorridente e brincalhão, Silva sabia como cativar uma plateia: o ator também era professor de Biologia no curso pré-vestibular Anglo, em São Paulo – a jornada dupla lhe dava a estabilidade para se manter nas artes cênicas. Com seu jeito "para cima" e experiência em musicais, Silva conseguiu o papel do entregador de pizza Bongô, um amigo para todas as horas.

Em certos momentos, o acaso fez das suas para ajudar o *Castelo*. Um pedido de carona foi o que aproximou o ator Pascoal da Conceição, veterano do teatro paulista, do novo programa. Na época, Pascoal fazia um bico na Cultura como dublador e narrador de documentários que a emissora importava da BBC. "Eu fazia a locução naqueles programas sobre passarinhos que a Cultura passa no domingo e dão aquele sono gostoso à tarde...", brinca Pascoal. Na época, o ator estava com os cabelos raspados por causa de um espetáculo de teatro que ensaiava. Após um ensaio, pronto para sair para mais uma sessão de locução na Cultura, um de seus colegas de cena lhe pediu que o levasse para fazer um teste na emissora da Água Branca. "Ah é, teste? Vou junto", pensou. Ao chegar à rua Cenno Sbrighi, ofereceram a Pascoal o papel do vilão, o Dr. Abobrinha. "Disseram que ele era um cara que queria derrubar o *Castelo* para fazer um estacionamento e um prédio de cem andares", conta o ator. "A-há! Essa história eu já conhecia!"

E conhecia mesmo: egresso da Escola de Artes Dramáticas da USP, Pascoal era conhecido por seu trabalho com o grupo do Teatro Oficina, do diretor José Celso Martinez Corrêa, o Zé Celso. Nos anos 1980, o Oficina, localizado na região central de São Paulo, seria vítima de um especulador imobiliário: ninguém menos do que o Homem do Baú, Silvio Santos.

No início dos anos 1970, com o surgimento da Ligação Leste-Oeste[34], os imóveis na região do Oficina tinham se desvalorizado e a especulação começou a se espalhar pelo bairro do Bixiga. Pior para o Oficina, que se segurava para pagar as contas do aluguel do terreno onde estava instalado. As intenções do Homem do Baú eram semelhantes às do Dr. Abobrinha: botar o teatro abaixo e construir em seu lugar um *shopping center*. Não é à toa que os trejeitos do Dr. Abobrinha, e frases marcantes como "Um dia esse *Castelo* ainda vai ser meu, meu, meu!", sejam tão efusivos: eles são claramente inspirados na maneira histriônica de Silvio Santos se dirigir ao público. Segundo Pascoal, o processo foi inconsciente. "Só percebi que tinha feito o Dr. Abobrinha inspirado no Silvio Santos anos depois, quando o Zé Celso me disse. Se você quer entender seu inimigo, tem de amá-lo primeiro", ironiza o ator.

O acaso também apareceu na hora de a Cultura escolher a atriz para representar a repórter Penélope, inspirada na Penélope Charmosa da *Corrida Maluca* e na Penélope do épico grego *Odisseia*. A primeira escolha era a atriz Denise Fraga, na época conhecida pela peça *Trair e coçar é só começar* e pelo programa humorístico *TV Pirata*, da Globo. Excelente atriz cômica, Denise chegou até a provar figurinos criados por Carlos Alberto Gardin, mas acabou aceitando o convite de outra emissora – o SBT – para fazer um papel em uma nova novela que o canal estava preparando. O nome? *Mariana, a Menina de Ouro*, o mesmo projeto que tirou Flavio de Souza da Cultura. Quem acabou ficando com o papel, após um dia de testes tumultuado, foi a gaúcha Angela Dippe, que já havia feito uma ponta no *Rá-Tim-Bum*, no quadro Família Teodoro.

Angela quase deixou de lado o teste que tinha marcado na rua Cenno Sbrighi: estava gripada, com 40 graus de febre e "tossindo pra caramba". Ao chegar à emissora, ela não conseguiu ficar quieta: cantou, dançou, sapateou e tudo mais. "Queria mostrar para o Cao Hamburger que eu sabia fazer um monte de coisas. Ele tinha pedido só umas falas, mas não consegui parar", diz a atriz, que vestiu uma malha azul e uma "sainha de lambada" para os testes.

A escalação definitiva, no entanto, não veio sem uma pequena dose de intriga: pouco antes de as gravações do *Castelo* começarem, Angela se viu no meio de uma polêmica quando a *Folha de S.Paulo* publicou que "Denise Fraga foi recusada no elenco da nova série infantil da Cultura", tendo sido preterida pela gaúcha.[35] Para evitar intrigas, Angela chegou a ligar para Denise e dizer que não tinha nada que ver com a história. "Achei a nota maldosa", diz Angela.

O último coadjuvante foi o que deu mais trabalho para Cao: o índio Ubiratã. A Cultura passou os primeiros meses de 1993 atrás de um ator índio que se encaixasse no papel, pronto para falar sobre o folclore e a natureza do Brasil. "Estava tão difícil que a gente resolveu mudar de ideia", lembra o diretor. Por que não trazer uma criatura do próprio folclore?

Foi assim que nasceu a Caipora, uma personagem temperamental, misto de índia e bicho que mora nas matas. Era uma leve adaptação da Caipora do folclore tradicional, de lendas recolhidas por Luís da Câmara Cascudo – para alguns, era um *mix* de Caipora com Curupira. Para se enquadrar no projeto, a personagem teve de passar por uma série de adaptações "politicamente corretas": nas lendas, Caipora é uma personagem que bebe, fuma e tem os dois pés para trás. "No fim das contas, eu achei bom, porque senão iam ter de entortar meus pés!", brinca a atriz Patricia Gasppar.

Ex-colega de Cao no Equipe e tiete de Flavio de Souza quando o roteirista ainda atuava no Pod Minoga, Patricia foi o convite de primeira hora quando o personagem mudou de índio pra mito. A escolha foi uma surpresa: a atriz nunca gostou das lendas brasileiras quando era criança – seu negócio era mesmo passar as tardes na frente da TV assistindo à *Vila Sésamo*, aos desenhos da Hanna-Barbera, como *Os Flintstones* e *Os Jetsons*, e aos seriados *A Feiticeira* e *Jeannie é um Gênio*.

As escolhas mais difíceis ficaram para o final: o trio de crianças e o protagonista, o aprendiz de feiticeiro Nino. A primeira decisão era complicada porque os três atores mirins precisavam mostrar que tinham química entre si e responsabilidade para levar um trabalho longo nas costas sem perder a espontaneidade. Nem mesmo Luciano Amaral estava 100% garantido: mesmo sem precisar fazer testes e com lugar já cativo na TV Cultura, o intérprete de Lucas Silva e Silva poderia ser cortado da série se acabasse crescendo demais. Aos 15 anos de idade, o ator tinha a difícil missão de representar um menino de 12 anos, às vésperas de entrar na adolescência.

Mais de cem crianças participaram dos testes para o *Castelo Rá-Tim-Bum*. Entre elas, estava outro conhecido do público mirim da Cultura: João Victor d'Alves, o Ivo de *Rá-Tim-Bum*. Embora grande, porém, o número não surpreende perto de outros programas infantis da década de 1990, como *Chiquititas,* do SBT, cujos testes chegaram a causar enormes filas quilométricas nos estúdios da emissora da via Anhanguera. "Trabalhar em TV quando criança ainda não era toda aquela loucura na época do *Castelo*", lembra Amaral.

Entre o *Mundo da Lua* e o *Castelo*, o ator teve um ano de "férias". Em vez da rotina atribulada de gravações para a TV, Amaral "relaxou" e encenou uma peça de teatro em São Paulo chamada *A Fuga do Planeta Kiltran*. O elenco era todo formado por crianças. Além de Luciano, havia dois meninos e uma menina. A química entre os quatro chamou a atenção de Philippe Barcinski, que tinha ido assistir à peça a fim de dar "uma força" a Amaral e acabou sugerindo que o ator levasse os colegas de cena para os testes da Cultura. Dito e feito.

A menina era Cinthya Rachel, conhecida na época por ser a estrela de uma propaganda do suco Tang. "Era uma gracinha", lembra Barcinski. Um ano mais nova que Luciano, Cinthya Rachel já andava pelos corredores da TV Cultura na época em que fazia *A Fuga do Planeta Kiltran*. Ela era uma das crianças de *O Professor*, série com viés educativo que a Cultura estreou em 1993. Dirigida por Fernando Rodrigues de Souza (ex-*Revistinha*), a atração tinha experimentos científicos e procurava mostrar conhecimentos de física e química – nos moldes de *O Mundo de Beakman*.

A princípio, Souza não queria que a atriz fizesse testes para o *Castelo*, com medo de perdê-la em *O Professor*, mas Cinthya participou da seleção escondida do diretor. "Me viram no corredor e me chamaram para fazer", conta a atriz, que, assim como Luciano, não "trabalhava" ao atuar. "Eu estava só me divertindo. Virou trabalho só depois que eu cresci."

Já um dos dois garotos da peça era uma surpresa: mesmo sendo estreante, Fredy Állan era uma surpresa com seu vozeirão. "Dava para ver ali no palco que ele nasceu para ser ator", explica Amaral. Baixinho e espevitado, Fredy queria ser ginasta olímpico, mas largou o esporte depois que conheceu os palcos. "Não dá para fazer os dois, você tem de escolher!", disse a mãe do garoto. A principal razão que ajudou Állan a conseguir o papel foi seu tamanho: mesmo tendo 9 anos, ele enganava facilmente as câmeras, passando-se por um garotinho três anos mais novo.

O tamanho era igualmente um problema na hora de escolher o intérprete do protagonista Nino: a princípio, Cao Hamburger queria uma criança para representar o aprendiz de feiticeiro inspirado no Mickey de *Fantasia*, animação da Disney de 1940. Porém, a praticidade acabou dando lugar à intenção: seria difícil ter uma criança para atuar em 70 episódios, decorar tantos textos e liderar a atuação do trio de crianças e dos outros personagens. O fato de o personagem ter 300 anos acabou ajudando a equipe do *Castelo* a ter uma boa desculpa para escalar um adulto para o papel.

Muitos atores fizeram testes para ser o Nino – a descrição vaga do personagem fez que vários deles tivessem interpretações bem esquisitas. "Lembro-me de um cara que fez um cientista doidão, cheio de tubos de ensaio e gargalhadas fatais", conta Luciano Amaral, que contracenou com os candidatos a protagonista. A oferta era tanta que alguns atores que tentaram fazer o personagem acabaram sendo escolhidos para outros papéis – caso de Henrique Stroeter, que já tinha participado de *Revistinha* e *Rá-Tim-Bum*. "Quando fiz o teste, o Cao Hamburger disse que tinha gostado muito do que eu mostrei, mas que não era bem isso", lembra Stroeter. "Por sorte, ele também disse que estava pensando em mim para outro personagem."

A escolha parecia difícil – o perfeccionista Cao não conseguia encontrar um ator que se encaixasse na complexidade de Nino. Até que o faro de Philippe Barcinski apareceu mais uma vez, ao indicar o ator Cassio Scapin, que também já tinha trabalhado no *Revistinha*. "Vi o Cassio numa peça chamada *Tamara*, na qual ele era um mestre de cerimônias em um casarão. Ele era perfeito para o papel", lembra o "estagiário". A confiança de Barcinski na indicação fez Cao Hamburger assistir à peça – depois que as cortinas se fecharam, Scapin recebeu um convite para fazer um teste na Cultura.

Formado na tradicional Escola de Teatro Célia Helena e na Escola de Artes Dramáticas, Cassio a princípio não tinha motivos para aceitar o papel. Quando fez o teste, o ator estava de malas prontas para passar uma temporada em Nova York – já tinha vendido o carro, empacotado suas coisas e devolvido o apartamento onde morava de aluguel. Por uma feliz coincidência, os planos de Scapin em Nova York não deram certo e o ator acabou voltando para fazer o programa. "Foi uma mudança radical", lembra o ator, que recebeu US$ 2 mil por mês (em valores da época) para interpretar Nino.

O mais interessante, porém, é que, antes do *Castelo Rá-Tim-Bum*, Scapin e crianças não eram exatamente amigos. "Depois de adulto, sempre achei as crianças meio invasivas. De repente, eu tinha de ser uma e lidar diariamente com três delas no estúdio", diz o ator, que teve uma infância "caseira" em São Paulo. "Eu tive de redescobrir a minha infância para lidar bem com o Luciano, o Fredy e a Cinthya. Resolvi ser o amigo pentelho, tentava ser mais criança do que as crianças. Deu certo."[36]

7. "Nooooooooooooossa!"

Foi tudo culpa dos docinhos.

Em 1985, Fernando Gomes dividia seu tempo entre trabalhar de manhã e ajudar a mãe a fazer salgadinhos e doces de festa de aniversário madrugada adentro. Para se entreter, Gomes usava um truque esperto: durante o dia, ele deixava o videocassete ligado na TV Cultura. Assim, à noite a programação da emissora podia acompanhá-lo enquanto fazia brigadeiros e beijinhos. Vale lembrar que, na época, a TV aberta não funcionava 24 horas por dia, como acontece hoje. Depois do *Corujão* – o tradicional filme de fim de noite exibido pela Globo –, todas as emissoras saíam do ar por volta das 2 horas da manhã. "Só não sei explicar por que eu gravava a Cultura", conta Gomes, que tinha acabado recentemente o curso de Artes Plásticas na Fundação Armando Alvares Penteado (Faap). "Mas nessas, já burro velho, conheci um programa infantil chamado *Bambalalão* e me apaixonei por ele."

Conforme o tempo foi passando, o dinheiro ficou curto e as fitas VHS foram acabando. Para não ficar sem companhia, Gomes percebeu que precisava ter gravações exclusivas – e o que ele não queria perder eram os teatros de bonecos. A preferência o deixava inquieto: como um adulto poderia gostar de bonecos?

Ao perceber seu fascínio, Fernando resolveu entrar na brincadeira e construir seu próprio boneco. O projeto demorou meses para ser executado e não deu muitos frutos. "Brinquei um pouco com ele e acabei deixando-o de canto", diz, como quem conta uma história que poderia ter um final simples, sem graça, mas antecipa uma virada. Um dia, Gomes estava no teatro e percebeu uma voz familiar. "Eu olhava para a mulher e não sabia quem era. Mas a voz era tão conhecida... até que eu descobri. Virei para a mulher e disse: Memélia de Carvalho!"

Depois de algumas frases, Fernando comentou que tinha feito um boneco, o que despertou o pronto interesse de Memélia, uma das principais manipuladoras de bonecos do *Bambalalão*. Dias depois, os dois se encontraram novamente para que Fernando mostrasse sua criação à manipuladora. De imediato, Memélia implorou para colocar o boneco no *Bambalalão*. No dia seguinte, lá estava a criatura no ar, ao vivo. "Foi uma baita emoção", conta Gomes. "Quando o programa acabou, os caras que faziam o programa, que eram meus ídolos, começaram a me ligar em casa pedindo bonecos. Eu nem sabia o que dizer", diz.

Pouco tempo depois, o telefone da casa de Fernando Gomes recebeu uma ligação inusitada: era a diretora do *Bambalalão* lhe chamando para cobrir uma licença de uma semana do bonequeiro Chiquinho Brandão. No melhor estilo "quem sabe faz ao vivo", mesmo sem nunca ter manipulado um boneco fora de seu quarto, Fernando encarou a parada. Ao final de uma semana, despediu-se dos novos amigos e voltou para sua vida normal. Na segunda-feira seguinte, o telefone tocou novamente. "Era a diretora do *Bambalalão*: 'Ué, o que você está fazendo aí? Volta aqui pra Cultura agora!', dizia ela ao telefone. Foi aí que eu nunca mais saí da TV Cultura", conta o manipulador.

Fernando Gomes foi só um dos muitos manipuladores que começaram sua carreira no *Bambalalão* – e sua história mostra o espírito de camaradagem e improviso reinante no programa. No Brasil, o *Bambalalão* foi para o boneco como a várzea está para o futebol: um celeiro de craques, dando espaço aos principais "bonequeiros" que fizeram parte do *Castelo*, como Álvaro Petersen Jr., Luciano Ottani, o próprio Fernando Gomes e o confeccionador de bonecos Jésus Seda – além do ator Gérson de Abreu. Álvaro, por exemplo, entrou no programa como músico, enquanto Ottani, que chegou à Cultura ainda adolescente, era o menino-prodígio da turma. Todos eles, sem exceção, foram rapazes de 20 e poucos anos fascinados pela linguagem da manipulação de bonecos. Uma arte milenar, mas que ganhou novos contornos pelas mãos – literalmente – do americano Jim Henson.

Pioneiro do boneco na TV desde os anos 1950, com participações inclusive no *The Ed Sullivan Show*, programa de variedades dos primórdios da televisão americana, Jim Henson se tornou um ícone ao criar os personagens fofinhos e espumados de *Sesame Street*, como o pássaro Big Bird, os irmãos Bert e Ernie e o sapo Kermit (conhecido aqui no Brasil como Caco, o Sapo). Depois de várias temporadas no programa da PBS, Henson teve ainda um projeto para o público mais maduro: o *The Muppet Show*. Além de Caco, a turma dos Muppets tinha ainda a porquinha Miss Piggy, apaixonada pelo anfíbio, e o monstro Gonzo, entre muitas criaturas.

"Eu assistia a tudo isso quando era criança, adolescente, mas quando entrei na faculdade tudo desligou", conta Fernando Gomes. "Quem reacendeu minha chama foi o Chiquinho Brandão", diz, fazendo referência a uma das estrelas do *Bamba*, e possivelmente ao maior ícone da primeira geração de manipuladores brasileiros.

É fácil notar diferenças entre as duas gerações de bonequeiros. Os pioneiros do *Bambalalão* se dividiam entre a tradição do teatro clássico (Memélia de Carvalho) e a intuição e o improviso quase subversivos (Chiquinho Brandão). Já a segunda geração, que teve seus primeiros trabalhos no *Bamba*, era mais "racional": cada um desenvolveu seu método de trabalho prestando atenção aos pioneiros, tentando entender por que alguns bonecos eram bons e outros, nem tanto.

A turma da primeira geração, representada por Chiquinho, Memélia e Helen Helene, não teve vida longa dentro da emissora após o fim do *Bambalalão*, em 1990. Chiquinho, por exemplo, participou do *Rá-Tim-Bum* e depois morreu em um acidente de carro em 1992, enquanto atuava na novela global *O Sorriso do Lagarto*. Helen Helene, por sua vez, foi a contadora de histórias no programa dirigido por Fernando Meirelles e só voltou a ter espaço na Cultura com *Cocoricó*, lançado pela emissora em 1996.

O "vírus" da linguagem de bonecos, no entanto, tinha sido inoculado na TV Cultura: além de ser parte importante do *Rá-Tim-Bum* e do *X-Tudo*, ela foi aproveitada em projetos específicos da emissora, como o especial de Natal *Um Banho de Aventura*, exibido pelo canal para celebrar a data festiva em 1989.

Criado pela diretora de programação infantil Bia Rosenberg, *Um Banho de Aventura* contava a história de uma dupla muito especial: o menino Júlio (Fernando Gomes) e seu mascote inseparável, o leãozinho de pelúcia Leo, mandado para a lavanderia pela mãe de Júlio. Incapaz de viver sem o amigo, Júlio foge de casa à noite, pega um táxi e se enfia num beco para invadir a lavanderia de madrugada – tudo para ir atrás do leãozinho. Como se não fosse suficiente, em sua jornada até voltar para casa, o menino se envolve com piratas e entra num bar – O Pato Que Ri, uma homenagem ao tradicional restaurante paulistano O Gato Que Ri – para procurar seu mascote. "*Um Banho de Aventura* era totalmente politicamente incorreto, não daria certo nos dias de hoje", conta Fernando Gomes.

Além da história divertida, que não faria má figura em um filme da Pixar, *Um Banho de Aventura* também foi marcante por ser o primeiro trabalho infantil de Hélio Ziskind na emissora, antes mesmo do *Glub Glub*. O compositor fez a canção-tema do programa, "Um banho de aventura" – mas conhecida popularmente como "Cadê o Leo?" Exibido pelo canal no Natal de 1989, *Banho* acabou sendo desmembrado para virar uma das histórias do *Senta que lá vem história* do *Rá-Tim-Bum*. Sua maior contribuição para a história da Cultura, porém, viria só uma década depois, com a ajuda de uma gaita e um rock rural. Mas isso fica para depois.

No caso do *Castelo*, os bonecos já estavam tão incorporados ao "jeito Cultura" de produzir programas para crianças que ele nasceu com a participação deles – vale lembrar que um dos cenários do *Castelo Encantado* era uma escola só com alunos de "espuma". "Como o *Castelo* era um reduto da fantasia, seria importante que coisas malucas acontecessem, como uma cobra rosa ou um gato falante", diz o diretor. Além de serem práticos, os bonecos também eram baratos: bastava usar materiais simples, como espuma, látex ou PVC, e muita criatividade, e as atrações estavam prontas.

Ou quase: "Comigo, os bonecos são apenas materiais colocados em cena", diz o artista plástico Jésus Seda, o primeiro da trupe do *Bamba* a se juntar ao novo programa de Cao. Natural de Campinas, Jésus foi convidado pelo diretor a fazer parte do projeto depois que os dois trabalharam juntos em uma propaganda. "Pra mim, o boneco só ganha vida quando o bonequeiro enfia a mão dentro deles. Se eu quiser, eu posso destruir qualquer boneco que eu fizer. Depois que ele ganha vida e se transforma em um personagem, não dá mais."

Apesar de ser um dos principais manipuladores da casa, inicialmente Fernando Gomes não estava nos planos da emissora para o *Castelo*. Até por opção própria: na mesma época, ele fazia o X, do *X-Tudo*, e estava começando a montar seu primeiro espetáculo de teatro solo. No entanto, a sorte passou perto de Gomes mais uma vez: vários dos testes para os bonecos não deram certo e a diretora de programação infantil Bia Rosenberg colocou o manipulador na parede. "Não tem quem faça o gato e o relógio. É você quem vai fazer", disse ela. Missão dada é missão cumprida.

Guardião da biblioteca do *Castelo*, Gato Pintado foi criado por Jésus Seda. "Apesar do nome, ele não é pintado, é laranja!", brinca o autor do boneco, totalmente feito de espuma. Segundo a sinopse que Fernando Gomes recebeu da produção para se inspirar para o personagem, o felino era originalmente um gato de rua, adotado por Nino antes do início da história do *Castelo*. "Era um gato que gostava muito de ler. Quando ele chegou e bateu o olho naquela biblioteca com milhares de livros, viu que era ali que tinha de ficar, era a praia dele", explica Gomes.

Para dar vida ao bichano, Gomes fazia dublê de contorcionista: se o boneco estivesse em uma poltrona, Gomes tinha de se deitar no chão. A cadeira tinha um fundo falso, adaptado para seu braço. Depois de deitar, um contrarregra colocava o boneco nas mãos do manipulador, e escondia o resto do seu corpo atrás de uma pilha de livros. "Tudo bacana, mas até o cara fazer a pilha, marcarem a luz e gravarem a cena, eu ficava mais de uma hora ali, todo torto", conta o manipulador. "Isso é sina de bonequeiro. Não tem o que fazer", brinca Jésus Seda.

Além de cuidar dos 6 mil livros do acervo da biblioteca, Gato Pintado também tinha outra função importante no programa: introduzir os pequenos telespectadores ao mundo da poesia, com a ajuda de um livro de capa colorida, que dava origem ao quadro *Poesias Animadas*. Com animações de 30 a 45 segundos feitas por Kiko Mistrorigo e Célia Catunda, o quadro adaptava poesias – nem sempre ligadas ao universo infantil.

A seleção vinha de autores modernos e contemporâneos do Brasil, como Manuel Bandeira ("Trem de Ferro"), Vinicius de Moraes ("A Porta", "Galinha-d'angola" e "O Relógio"), Cecília Meireles ("O Eco" e "Bolhas") e Paulo Leminski ("Minha Mãe Dizia" e "Aqui"), entre outros. Não importava se o poema era infantil ou não: a ideia era trazer obras escritas com palavras simples, de temas compreensíveis à vida da criança, seguindo a linha construtivista trazida à Cultura por Zélia Cavalcanti. A narração ficava por conta dos próprios personagens do *Castelo*.

Se o Gato Pintado era só charme, o outro personagem designado para Gomes – o Relógio – era puro método. Sua função primordial na série era, obviamente, delimitar o tempo nos episódios: é ele, por exemplo, quem avisa que "está na hora da feitiçaria", antecipando a entrada do quadro de contação de histórias da Bruxa Morgana, ou que o "Dr. Victor vai chegar, o Dr. Victor está chegando, o Dr. Victor chegou". Para dar voz e manipular a máquina de 1,90 m de altura, Gomes ficava atrás de uma parede, lidando com cabos e um controle remoto capaz de girar o ponteiro, em um projeto feito pelo chefe do departamento de Efeitos Especiais da Cultura, Silvio Galvão.

Ficar atrás da parede era mais confortável do que todo contorcido atrás de uma poltrona, mas também tinha suas desvantagens, conta o manipulador. Uma das coisas mais comuns era a cena acabar, a equipe técnica gritar "corta" e Gomes, do outro lado da parede, não ficar sabendo. "Cansei de ficar esperando sem saber o que fazer", comenta. Em outra ocasião, o bonequeiro chegou atrasado para as gravações.

Com pressa, a equipe chamou Álvaro Petersen Jr. para substituí-lo como o Relógio. Esbaforido, Gomes chegou ao estúdio e assumiu a gravação da cena pela metade, por trás da parede. Quem estava do outro lado do muro nunca ficou sabendo da confusão.

Gomes não era o único veterano do *Bambalalão* que quase ficou de fora do *Castelo*. O mesmo aconteceu com Álvaro Petersen Jr., o homem por trás da cobra cor-de-rosa Celeste. A princípio, os testes direcionados à personagem foram abertos para várias atrizes – a equipe da Cultura achava que seria mais fácil que uma moça incorporasse a manha e o charme de que o réptil precisava para ganhar vida. Não deu muito certo – e Álvaro acabou ganhando sua chance. Era o que ele precisava: o bonequeiro só colocou a mão dentro da cobra e apontou-a para o câmera, que gravava os testes. O rapaz levou um susto e pulou para trás. "'Tá vivo esse negócio!", berrou. "Foi ali que eu soube que tinha acertado", conta Álvaro.

Só o gesto não era suficiente: ainda faltava uma voz para a cobra manhenta. A inspiração veio do sotaque da diretora de programação infantil Bia Rosenberg, meio carioca, um pouco arrastado. "Ao longo da minha vida, eu sofri uma série de zombarias pelo jeito como eu falo. Embora a Celeste seja um personagem muito invejoso, eu gosto muito dela", responde Rosenberg. Hoje, a diretora de programação infantil da Cultura garante não falar mais tanto o arrastado "Nooooooooooossa!" – um dos principais bordões da cobra falante.

Prima da naja Sílvia, interpretada por Helen Helene em *Rá-Tim-Bum*, a jiboia cor-de-rosa Celeste é geniosa, egocêntrica e manhosa, mas inofensiva como suas contrapartes do mundo animal. Sonha em ter pernas e braços longos, para poder se tornar uma estrela de cinema, mas enquanto isso vive uma amizade divertida com Nino. Na maior parte do tempo, os dois vivem às turras, mas provas de carinho e afeto são frequentes entre o aprendiz de feiticeiro e a cobra falante. Feita de material emborrachado, Celeste é rosa porque "é uma cobra mascote e toda charmosa", explica Jésus Seda, responsável pela jiboia. "Em uma série em que até o vilão é simpático, a cobra tem de ser cor-de-rosa", brinca o artista plástico.

Além da cobra, Petersen Jr. também ficou responsável por outro personagem marcante do *Castelo*: o monstrinho Godofredo, um misto de ratazana com elfo, fiel ajudante do vilão bonachão Mau – este feito pelo também manipulador Cláudio Chakmati, um bonequeiro que "encarnava" o personagem.

Feito de látex, o personagem foi moldado a partir da mão de Petersen Jr., e tinha como característica o fato de ter dois olhinhos que balançavam. "Foi a partir do olho e do jeito magrinho do Godofredo que eu tirei a voz insegura e meio tremida dele", diz o manipulador. No quadro, os personagens de Petersen e Chakmati apresentavam trava-línguas e adivinhações às crianças, que deveriam responder corretamente. Caso contrário, o vilão soltava sua "gargalhada fatal". Para a roteirista Claudia Dalla Verde, responsável por escrever as atrapalhadas aventuras da dupla, "Godofredo é a única criatura do mundo que tem medo do Mau, porque o Mau o ameaça com a gargalhada fatal". A direção do quadro, por sua vez, ficava por conta de Renato Fernandes, e a trilha sonora, do tecladista Lulu Camargo, integrante na época da banda Karnak, de André Abujamra.

Além das adivinhações, Mau também tinha como passatempo principal passar correndo pelos encanamentos do castelo, onde morava junto com Godofredo. Sua voz era levemente inspirada no Pato Que Ri, personagem feito por Chakmati em *Um Banho de Aventura*, enquanto seu visual remetia aos Azuis, os vilões de *Sesame Street*. "Ninguém cria nada: a maioria das criações está no inconsciente coletivo. Acabamos fazendo homenagens aos nossos ídolos sem perceber", avalia Jésus Seda, responsável por confeccionar o boneco feito de EVA – nome popularmente dado a uma espuma vinílica, material macio, moldável, barato e colorido.

Jésus se preocupava muito com os materiais que usava – tentando fazer construções o mais baratas possível. Segundo ele, fazer uma cópia do Mau em casa não dá trabalho: é preciso apenas ir até uma loja, escolher o tom certo e picar o EVA do jeito que ele fez. Trabalho, mesmo, foi chegar até uma versão definitiva do boneco: foram sete, cada uma mais esquisita que a outra – a missão de Seda era entregar um boneco feio, mas ao mesmo tempo atrapalhado e que pudesse ter um coração enorme. A descrição, diz o artista plástico, se encaixa também no amigo Cláudio Chakmati. "Ele era extremamente ranzinza, mas um ótimo sujeito", conta sobre o intérprete do Mau. Após o *Castelo*, Chakmati se mudou para Bali, na Indonésia, e lá morreu em 9 de fevereiro de 1997, aos 32 anos, vítima de uma parada cardíaca.

Para gravar o Mau e o Godofredo, Chakmati e Petersen Jr. também ficavam em uma posição complicada: ambos se sentavam em cadeiras de rodinhas e, com os braços erguidos para o alto, manipulavam os bonecos. Se por acaso precisassem se mexer, era preciso deslizar pelo cenário – e haja tombos, pancadas e vezes em que a cadeira de rodinhas teimava em não sair do lugar. Vira e mexe, era preciso que os contraregras do *Castelo* dessem uma mãozinha – literalmente – nas cadeiras da dupla. O pequeno Godofredo era manipulado com uma mão só, mas o grandalhão Mau precisava dos dois braços de Cláudio Chakmati.

Chakmati tinha um jeito irreverente de interpretar seus personagens – a ponto de não se importar, por exemplo, se seu braço aparecia para os telespectadores. O que importava era que a emoção do boneco funcionasse. Conhecido pelos amigos como "Cheque", o manipulador também fez o Porteiro do *Castelo*. Inventado pelo Dr. Victor para receber os visitantes, Porteiro era um robô de lata, programado para deixar as pessoas entrarem no castelo após responderem a uma senha – normalmente, uma tarefa de adivinhação de enigmas ou de expressão corporal, como engatinhar, dançar ou imitar um animal. Caso a senha estivesse certa, o Porteiro permitia a passagem dos visitantes com a frase "Klift, kloft, still, a porta se abriu".

Para manipular o boneco, totalmente mecanizado, Chakmati usava as duas mãos: com a mão esquerda, ele segurava o pescoço do Porteiro, enquanto a mão direita ficava ocupada com um gatilho de nove botões, que faziam o boneco virar os olhos, abrir a boca e ter diversas expressões faciais. A intenção inicial de Cao Hamburger era a de que o

Porteiro fosse um brinquedo de lata feito por qualquer criança ou que pudesse ser comprado em qualquer parte do Brasil. Para isso, Seda usou acetato para a estrutura do boneco e depois o revestiu com adesivo *Contact* de cores bem vivas. "Apesar da aparência brilhante, não tem nada de metal no Porteiro", orgulha-se.

Em virtude da quantidade enorme de cenas que precisavam da cobra Celeste, Álvaro Petersen Jr. teve de declinar de um terceiro boneco: o dedinho Fura-Bolos. Quem acabou "herdando" o boneco, um simpático dedo indicador feito de espuma, foi Fernando Gomes. Para dar vida ao personagem, Gomes teve de se adaptar a uma nova técnica, manipulando o rosto e a boca do dedinho com fios de náilon com a mão esquerda. "Eu adorava fazê-lo, especialmente porque ele poderia aparecer em qualquer lugar, na cozinha, na oficina...", diz Gomes. "O fato de ele estar sempre solto no ar era muito legal, mesmo que fosse aparecer só para uma bobagem, como introduzir o quadro de Lavar as Mãos ou o da Dedolândia", comenta o bonequeiro.

Ao contrário de outros bonecos, Fura-Bolos era um fantoche de dedo, e não foi confeccionado por Jésus nem por Silvio Galvão. Seu criador é o artista plástico Marcos Bertoni, responsável pela animação da turma da Dedolândia – um grupo bem-humorado de dedinhos que, além de cantar um *rockabilly* bem animado, ainda tinham a tarefa de ensinar os telespectadores do *Castelo* a realizar operações matemáticas simples, como somar, subtrair e dividir. Apesar de ser simples, cada boneco custou US$ 400, em orçamento enviado por Bertoni à Cultura na época.

As canções da Dedolândia eram feitas por Fernando Salem, o principal compositor da banda paulistana Vexame. "O mais importante não é que as crianças acompanhem exatamente a conta, mas entendam o sentimento que está por trás dessas operações", justificou Salem[37]. O músico conseguiu o trabalho por frequentar bastante os estúdios da Cultura – a Vexame fazia participações também no vespertino *Fanzine*, uma evolução do *Matéria Prima*, de Serginho Groisman, apresentado pelo escritor Marcelo Rubens Paiva. Sua vocalista era a atriz Marisa Orth, que, anos depois, fez sucesso na TV Globo como a esposa burra Magda do seriado *Sai de Baixo*.

Além de Petersen Jr., Chakmati e Gomes, três nomes eram responsáveis pelos bonecos restantes do *Castelo*: Luciano Ottani, Gérson de Abreu e Theo Werneck. Aos dois últimos coube fazer a voz da dupla de botas Tap e Flap. Inspirados no filme *Os Irmãos Cara de Pau*, sucesso dos anos 1980 com John Belushi e Dan Aykroyd, Tap e Flap falavam de forma rimada e descolada, como dois antigos roqueiros, normalmente para comentar alguma novidade ou acontecimento ao longo do roteiro de um episódio.

Velhos e desbotados, os irmãos envergavam em sua "cara" um par de estilosos óculos escuros, e foram feitos com duas botas velhas tamanho 45 encontradas por Silvio Galvão no acervo da Cultura. "Elas precisavam ser bem desgastadas, para dar realismo aos dois personagens", conta o artista plástico, que com base nos calçados criou um molde em látex e espuma.

Com passagens pelo *Bambalalão* e pelo *Rá-Tim-Bum* (ele era o ratinho Rói, parceiro do detetive Máscara), Luciano Ottani era o responsável por dar vida à gralha Adelaide, companheira de todas as horas de Morgana. Inicialmente, Adelaide seria uma vassoura, mas Eliana Fonseca, diretora do quadro da bruxa, não gostou da ideia, porque seria difícil manipular o objeto. "Não dava para animar uma vassoura: afinal, onde é que a gente ia esconder o Luciano?", lembra a diretora. O passo seguinte foi pensar em um corvo – em inspiração evidente do poema "O corvo", de Edgar Allan Poe. No entanto, o ambiente de contação de histórias pedia duas meninas conversando – de forma que o corvo virou mesmo uma gralha.

"A Adelaide só existiu por uma necessidade de divisão do texto da Morgana, para dar mais ritmo às cenas", explica Ottani, que criou a ave de espuma. Depois do *Castelo*, Luciano migrou para Portugal e hoje é um bem-sucedido diretor de publicidade do outro lado do Atlântico. Em tempo, vale dizer que Morgana acabou tendo uma vassoura para chamar de sua: a simpática Valdirene.

Juntos, Ottani, Gomes, Abreu, Petersen, Werneck, Chakmati e Seda foram responsáveis por um segundo grande momento do boneco no Brasil. Após o *Castelo*, eles foram chamados para criar novos programas e atrações em quase todas as emissoras do país. "Antes da internet, eu usava a televisão como material de referência nas minhas reuniões", conta Seda. "Entre 1997 e 1998, houve um momento em que, a qualquer hora que você ligasse a TV, havia um boneco meu no ar, fosse no SBT, na Record ou na Cultura. Era um luxo", gaba-se. Segundo ele, na época, mais de 20 bonequeiros estavam empregados e trabalhando com televisão – isso para não falar da quantidade de profissionais que ganhavam o pão de cada dia fazendo teatro ou festas de aniversário.

"E aí veio a computação gráfica", diz Seda, com uma expressão torta no rosto. "O bonequeiro acabou virando um cara maldito. No lugar de um cara com expressões e vontades, parecia mais fácil mandar uma máquina fazer o que você quisesse", lamenta o artista, que até hoje faz bonecos e incentiva a perpetuação de sua arte. "Se eu conheço alguém que tem potencial, vou lá e chamo para ser meu sócio. É assim que funciona: eu pago para a pessoa aprender", comenta Seda. "Fiz isso com o Fernando Gomes lá atrás e continuo fazendo."

Ao ser entrevistado para este livro, Seda disse – com um sorriso no rosto e sem nenhum sinal de arrependimento – ter feito três coisas das quais se orgulhava na vida. "Eu cantei a Nona Sinfonia de Beethoven num coral, junto com orquestra. Consegui achar uma profissão com a qual eu não brigasse todo dia. E fiz o *Castelo Rá-Tim-Bum*."

8. O parque de diversões de Gaudí

Nos portões da TV Cultura, um sol escaldante. Uma longa fila de candidatos espera desde as 8h da manhã por uma chance para mostrar seus projetos e tentar preencher uma vaga para trabalhar na cenografia do *game show Enigma*, prestes a ser produzido pela emissora em 1987. Entre eles, um rapaz todo vestido de preto, com coturnos e cabelo espetado ao estilo gótico. Era como se o calor da Água Branca fosse o vento gélido de Manchester. Para completar o figurino, ele ainda carregava uma bolsa enorme. "O que será que tem dentro daquela mala?", a fila se perguntava. "Será um corpo? Um cadáver? Uma *performance*?"

A resposta só veio às 14h, quando o rapaz finalmente teve a chance de mostrar seus trabalhos. "Cheguei lá dentro e me disseram que não havia mais vagas, mas que estavam curiosos pelo que eu tinha dentro da mala." A primeira coisa que saiu do invólucro foi uma réplica da X-Wing, a nave utilizada pelo herói jedi Luke Skywalker no primeiro dos filmes da série *Star Wars*, toda feita de papel paraná. "É caixa de sapato. E, se você olhar bem, tem o piloto lá dentro, com uma mochila atrás dele", tentou impressionar o jovem. Já com os olhos arregalados, os funcionários da emissora aguardavam pela segunda peça presente na mala: uma recriação da tumba do imperador egípcio Tutancâmon. Dentro dela havia um esqueleto mumificado, e algumas dessas partes revelavam um pouco da estrutura da múmia. "Era tudo ilusionismo, mas eles ficaram surpresos", lembra o artesão autodidata.

Foi o suficiente para a postura dos avaliadores mudar: a vaga continuava não existindo, mas uma pessoa queria conhecer aquela figura... exótica. "A moça ligou para o Hédio Guerra, que era do departamento de Adereços e Pintura. Ele me encontrou na sala onde estávamos e me levou para uma porta no canto esquerdo. Entrei por aquela porta e nunca mais saí", lembra o artista plástico Silvio Galvão.

Baiano de Vitória da Conquista, Silvio Galvão desde cedo se interessou pelo ilusionismo. Vindo de família humilde, conseguiu logo criança uma vaga como bolsista no Colégio Diocesano da cidade. Na escola, Silvio era o aluno mais disputado da sala pelos coleguinhas na hora de fazer grupos para a feira de ciências. "Eu fazia simulação de dinossauros, mostrava como eram os ciclos da Lua e da Terra. Minha equipe sempre arrasava. Era tudo muito *trash*, mas era o que uma criança de 12 anos conseguia fazer", recorda. Como tantos garotos, seu sonho era trabalhar com dinossauros e ser paleontólogo em um museu de história natural.

O sonho levou o menino a sair da Bahia e vir para São Paulo prestar vestibular. Apesar da boa formação em Vitória da Conquista, Silvio não conseguiu passar no vestibular da USP e acabou entrando no curso de Escultura e Pintura da Escola de Belas Artes, na época sediada na Pinacoteca do Estado São Paulo, no centro da cidade[38]. "Minha família não quis me ajudar; disse que era profissão de boiola ou dondoca", diz Silvio. Sem apoio, ele continuou o curso por dois anos, enquanto trabalhava como bancário para se sustentar.

No meio da graduação, porém, acabou desistindo – era difícil se bancar e ainda comprar os livros e materiais caros exigidos pelo curso. Antes de largar tudo e voltar para a Bahia, Silvio resolveu tentar a sorte uma última vez. Foi quando conseguiu entrar na Cultura. "Naquele dia, fiquei lá até as 8 da noite, conversei com o Hédio, almocei", lembra. "Fiquei muito feliz de ter almoçado."

Contratado pela emissora, Silvio começou como aderecista em programas como *Catavento* e *Bambalalão*. Nas duas atrações, o cenógrafo tinha de cuidar de histórias absurdas, narrativas encantadas, contos de fada. Ele era livre pra fazer o que quisesse – mas não havia verba para nada. "A única coisa que o programa tinha em abundância era papel celofane e crepom. Foi assim que eu me destaquei, fazendo coisas como um capacete de astronauta ou as asinhas do Cupido", diz. O caráter multidisciplinar da emissora foi um prato cheio para o artista plástico: se lhe pediam um dinossauro, ele ia até as últimas consequências (ou ao fim da paciência do interlocutor) para saber de que tipo, raça e época deveria ser a criatura.

Aos poucos, Silvio foi conquistando um espaço dentro da emissora, a ponto de ser o responsável pela bem-sucedida abertura do *Rá-Tim-Bum* e por alguns dos cenários mais marcantes do *Mundo da Lua*, como a Lua habitada por São Jorge. "Me deram tanto espaço que eu consegui que me nomeassem como responsável pelos efeitos especiais. Eu era fã do George Lucas, achava muito chique que a Cultura tivesse um departamento só disso", gaba-se.

No *Castelo Rá-Tim-Bum*, Silvio Galvão seria o responsável por confeccionar muitos adereços e objetos. Uma de suas missões, no entanto, foi especial: criar a base para a construção do centenário castelo onde moram Nino, Morgana e o Dr. Victor. Segundo a mitologia oficial do *Castelo*, ao chegarem ao Brasil, Victor e Morgana decidiram construir sua nova casa ao redor de uma frondosa árvore.

Na vida real, porém, a árvore quase acabou sendo literalmente cortada – no início, o objeto de cena sofria muitas críticas da equipe técnica. O principal "inimigo" da natureza, no caso, era o diretor de fotografia Marcelo Coutinho, que alegava que uma árvore enorme no meio do hall deixaria as cenas muito difíceis de ser iluminadas.

Para evitar intrigas com os colegas, o artista criou uma traquitana que permitiria aos técnicos erguer e descer os galhos da planta, de forma que a árvore não atrapalhasse a iluminação das cenas. Segundo Galvão, o segredo da construção foi o tempo: "Foi a primeira coisa que eu comecei a fazer e a última a terminar. Fiquei apaixonado pela árvore, porque eu queria que ela ficasse o mais perfeita possível. Ela tem cogumelinhos, caminhos de formiga."

A árvore, uma construção de seis metros com estrutura de metal e corpo de látex revestido de muita tinta, deu trabalho extra ao time da cenografia: foi preciso "criar" uma cúpula de vidro no topo do castelo, responsável por fornecer à planta a iluminação natural necessária para sua sobrevivência. O tiro, porém, saiu pela culatra: para fazer jus à cúpula, Coutinho exagerou na luz dentro do estúdio – e, para isso, usou grandes refletores, que deixavam o ambiente quente para danar.

Para Cao Hamburger, que não tinha entrado na discussão "ambientalista", a árvore acabou se tornando uma feliz coincidência. "Depois, vim a ler em vários livros que a árvore tem um simbolismo de sabedoria, que cresce junto com a escada. Tem tudo que ver com o *Castelo*, né?", conta o diretor. A árvore, porém, era só o começo do castelo – era preciso pôr a mão na massa para fazê-lo, literalmente, fincar suas raízes e ficar em pé.

"Misterioso e mágico. Alegre e urbano. Um castelo que existisse antes da megalópole que se formou ao seu redor." Essa era a descrição básica que Cao Hamburger e Flavio de Souza forneceram para a equipe de cenografia como seu desejo para hospedar as aventuras de Nino e seus amigos. A princípio, a referência original imaginada pelo diretor Cao Hamburger era a de uma casa mal-assombrada, onde poderia habitar o Dr. Victor Frankenstein. "Foi algo que me guiou desde sempre: perto da casa em que cresci, perto da casa da minha avó, tinha uma casa que todo mundo dizia que era mal-assombrada", lembra.

A inspiração buscava também encontrar uma referência mais próxima do ideário brasileiro. A ideia não era mostrar um castelo típico europeu, mas sim algo mais próximo da arquitetura nacional, como um casarão tradicional no meio do bairro do Bixiga, na zona central da capital paulista. "A ideia era criar uma aproximação com o cotidiano das crianças: por isso, a cidade grande", diz o diretor. A inspiração não era à toa: o tio de Cao, o artista plástico Flávio Império, tinha sua oficina localizada no Bixiga.

"Ele me levou até lá: achei aquilo pobre. Eu queria algo como Hollywood", conta Silvio Galvão. Para Luciene Grecco, uma casa mal-assombrada não ia render a magia e os recursos de que o *Castelo Rá-Tim-Bum* precisava para tratar de todos os temas. "Como falar de alimentação saudável em um lugar com teias de aranha? Naquela proposta, o castelo ia ser misterioso, mas não alegre, e muito repetitivo, com cara de *A Família Addams*."

A solução foi encontrada quando a equipe se debruçou sobre as obras do arquiteto catalão Antoni Gaudí, um dos principais desenhistas da paisagem da cidade de Barcelona, na Espanha. Para Marcelo Oka, o estilo de Gaudí, cheio de cores e com formas inusitadas – como se pode ver no templo da Sagrada Família ou no Parque Güell, duas de suas construções mais famosas –, foi a decisão certeira por "permitir uma perfeita integração entre a arquitetura e a fantasia".

A escolha também teve uma razão prática: como os roteiros dos episódios foram escritos paralelamente à concepção do cenário – algo incomum no trabalho de cenografia –, a equipe precisava conceber um ambiente capaz de receber qualquer coisa. "Lá no episódio 50, podia ter a necessidade de aparecer do nada uma máquina de traduzir chinês para sânscrito. No cenário que a gente fez, era possível sumir e aparecer com coisas do nada", conta Luciene.

A princípio, o diretor não gostou da ideia: o novo castelo parecia muito grande, exagerado, muito rico, muito tudo. "Para mim, é um reflexo da experiência dele com *stop motion*, no qual com uma mesa você consegue fazer tudo que quiser. É uma escala toda menor", diz Luciene. Cao nega: "Antes, eu tinha um castelinho no Bixiga. Agora era um *Castelo* do Gaudí. A imaginação deles me permitiu outros voos". É no que acredita também a cenógrafa: "O adulto bate o olho no estilo do Gaudí e já deixa a imaginação fluir. A criança nem se fala. É um parque de diversões"[39].

Para o cenógrafo Antônio de Freitas, outra inspiração importante para "montar" o *Castelo* foi o Palácio das Indústrias, sede da Prefeitura de São Paulo na época – hoje, o edifício abriga o Centro Cultural Catavento, prédio de estilo bem eclético, à moda do italiano Gino Copeddè.[40] Durante as gravações, o cenário se converteu na distração dos funcionários da emissora. "Ainda bem que não tinha foto digital e internet naquela época, porque senão a gente ia precisar controlar muito para não vazar nada antes de o programa ir ao ar", lembra Luciene.

O estilo gaudiano permitiu à equipe de cenografia brincar com diferentes inspirações dentro do *Castelo*: lado a lado, poderiam estar uma biblioteca clássica e um quarto de criança totalmente inspirado no universo dos quadrinhos e da pop art, separados por um hall *art nouveau* e uma cozinha com cara de laboratório contemporâneo. Já que o dono do Castelo era um inventor, a cozinha era um ótimo lugar para colocar engenhocas – foi o que pensou Luciene Grecco, responsável pela criação do ambiente. Entre os destaques apontados por ela, está a máquina de lavar louças que aparecia nas janelas do cômodo, os banquinhos da mesa central que subiam e desciam, economizando espaço, e as milhares de portas e gavetas presentes em uma das paredes da cozinha.

Outro cômodo concebido por Luciene, ausente do projeto inicial do *Castelo*, foi o quarto do Nino, acessível por meio de um banco giratório presente no hall. "Inicialmente, aquela entrada era para ser uma passagem secreta curinga, que poderia levar qualquer personagem para fora do *Castelo*. Era um portal mágico", conta a cenógrafa. "Aos 47 do segundo tempo, me pediram para criar o quarto do Nino. Já não tinha mais verba, não tinha espaço, não tinha nada. Era péssimo filmar ali", lembra.

A limitação financeira deu lugar a uma resposta criativa: para cobrir as paredes do quarto, foram utilizadas páginas de dezenas de histórias em quadrinhos compradas em sebos pela emissora, coladas diretamente na parede. Além disso, objetos de acervo da emissora, usados em outros programas, foram aproveitados para compor a decoração – incluindo o sapo de pelúcia, que ficava na cômoda e era um mascote do aprendiz de feiticeiro. No fim das contas, o ambiente acabou se tornando um dos cômodos favoritos dos fãs: "Toda criança queria ter um quarto daqueles!", conta Grecco.

A porta do quarto do Nino também foi outro problema – afinal, ela não podia se movimentar pelo cenário, uma vez que ocupava um último cantinho do hall de entrada. A solução apareceu num sonho do cenógrafo Alexandre Suárez. "Eu sonhei com uma porta giratória, que nem aquelas que apareciam no desenho do Scooby-Doo para esconder os personagens", explica Suárez, o "homem das passagens secretas" do

Castelo. Para ser acionada, inicialmente a porta precisava de um comando com simpáticos soldadinhos de chumbo, que deveriam ser pressionados para a estrutura girar. A prática, porém, se transformou em mágica: depois de alguns capítulos, os contrarregras esqueceram que os soldados de chumbo deveriam ser acionados. "Ficou na conta da magia mesmo", brinca Suárez. Outra passagem secreta de sua autoria é o elevador que vai da biblioteca até a oficina do Dr. Victor – inspirada na ligação da Batcaverna do seriado *Batman*, de 1966, estrelado pelo ator Adam West.

A biblioteca, idealizada por Antônio de Freitas, também ficou marcada pela maximização dos recursos. Inicialmente, a Cultura recebeu mil livros do Círculo do Livro, que deveriam ocupar metade da biblioteca[41]. Os volumes, no entanto, cobriram apenas 10% das estantes do cômodo. Para completar o espaço, a equipe da Cultura criou livros falsos, com blocos de isopor e truques de ilusão de ótica.

Na Cultura, o cenário do castelo impressionava por seu tamanho, ocupando um estúdio de aproximadamente 250 m². O destaque da construção, porém, ficava com o hall, que dava acesso a praticamente todos os cômodos da casa e tinha no centro a árvore da cobra Celeste. Mas nem tudo era gigantesco: apesar de ser grandioso, o hall usava muitos truques de ilusão de ótica para criar a fantasia nos olhos dos espectadores. A estrutura radial, a profundidade dos cômodos e até o desenho do piso, cheio de curvas, ajudavam a criar essa sensação. Um dos destaques do hall era o sofá colorido em formato circular, composto por seis almofadas destacáveis e uma estrutura oca, capaz de abrigar os manipuladores dos bonecos que ali poderiam aparecer. Completavam a decoração do saguão 17 quadros diferentes, incluindo um retrato a óleo do Dr. Victor e uma foto de Morgana, a tia-avó de Nino, trajada como uma das Cantoras do Rádio, ao melhor estilo de Carmen Miranda.

Entre a concepção e a entrega do cenário, foram cerca de seis meses de muito trabalho de cem pessoas envolvidas, entre cenógrafos, cenotécnicos e a equipe de marcenaria. Só para a construção, foram reservados quatro meses. "De material, foram US$ 100 mil. Mas cara mesma foi a mão de obra", conta Marcelo Oka.[42]

Em um *making-of* produzido pelo programa de variedades *Vitrine*, um dos destaques da grade da Cultura na época da estreia do *Castelo*, a repórter Renata Ceribelli mostra um pouco dos bastidores da construção e da dificuldade de erguer o cenário. "É um estilo difícil de ser elaborado. Não é igual a outros cenários comuns. Requer do profissional o máximo de conhecimento e habilidade"[43], diz no programa o encarregado de cenografia Antônio Monteiro dos Santos. No mesmo vídeo, Marcelo Oka conta que o acabamento, cheio de técnicas de ilusionismo, como as tarefas de fazer espuma virar pedra e compensado de madeira se transformar em móveis nobres, foi a parte mais chata do processo. "É como construir uma casa. O acabamento são aquelas coisas pequenininhas que vão dar o charme da coisa toda." Afinal, "fazendo tudo com carinho, vai acontecer".

9. Está na hora da feitiçaria!

— Cao, eu não sou feito de massinha!

Era sempre desse jeito que o ator Cassio Scapin lembrava ao diretor Cao Hamburger que ele não podia ficar parado esperando para sempre as orientações de luz, câmeras e interpretação dos atores para uma cena ser filmada. Como o diretor havia chegado à Cultura por meio de seus trabalhos de *stop motion*, a frase tinha certo tom de humor e sempre fazia a equipe técnica rir, mas continha um fundo de reclamação em seu significado: talvez o diretor estivesse exagerando no perfeccionismo ao dirigir as primeiras cenas do *Castelo*.

Iniciadas em maio de 1993, as gravações do *Castelo* tinham tempo de sobra para acontecer até o início de 1994, quando a Cultura previa que a série deveria estrear. Mesmo com folga, as primeiras semanas de trabalho preocupavam os principais envolvidos: para cada par de cenas gravadas, o diretor demorava horas para descobrir o posicionamento exato que gostaria de dar aos atores, como fazia quando filmava bonecos, carros e Frankensteins de massinha. Para piorar, nos primeiros dias de gravação, Cao queria usar apenas uma câmera para gravar tudo, com direito a detalhes de mãos e rostos dos atores. "Era estafante, e isso prolongava muito o processo todo", diz Luciano Amaral.

Um exemplo bem específico aconteceu em uma cena aparentemente simples: em certo episódio, Zequinha perde um de seus sapatos, e na sequência era preciso filmar o Ratinho, um dos personagens mais carismáticos do *Castelo*, indo tomar banho. Era uma passagem tranquila, que podia ser feita de qualquer jeito, mas Cao insistiu em fazer a cena com a câmera rente ao chão, mostrando lado a lado as meias de Zequinha e o Ratinho.

O perfeccionismo irritava até quem conhecia bem o diretor – caso de sua ex-colega de escola Patricia Gasppar. "Era incrível ver a atenção dele com os detalhes. O problema é que, às vezes, ele fazia isso enquanto eu estava lá em cima, na árvore, presa em algum galho", comenta a intérprete da Caipora. Para não se estressar, a atriz contava até dez, aceitava o sacrifício e recobrava a confiança no amigo. "Confiando nele eu sabia que logo ia descer do galho. Se alguém for muito 'diva', o trabalho não acontece", diz Patricia.

Anos depois, Cao pede desculpas aos atores. "Não eram eles, era eu. Mas não é perfeccionismo, é ter uma responsabilidade muito grande", diz. Segundo o diretor, o nível de repetição do projeto se devia à novidade dele de trabalhar com uma estrutura de TV, com três câmeras – Cao estava habituado ao ritmo de cinema, com apenas uma. Além disso, as imagens das três câmeras eram gravadas em um rolo só, com transição ao vivo. Se o editor errasse, era preciso começar tudo de novo.

"Era uma logística complicadinha", define Barcinski. "Depois a gente chamou vários diretores de televisão para compensar: eu atrasava e eles adiantavam", brinca Cao. Entre os diretores chamados para gravar episódios do *Castelo*, estavam Carlos Nascimbeni, Renato Fernandes e Fernando Rodrigues de Souza – este, de *O Professor* e *Revistinha*, virou o "diretor de elenco" do *Castelo*.

Além do perfeccionismo de Cao, havia outro aspecto que emperrava as gravações: a presença de um professor de português, parte da equipe pedagógica da emissora, em todas as tomadas feitas. A ideia era simples: como o *Castelo* queria conversar com um público que ainda estava dando seus primeiros passos ao aprender a língua materna, havia uma forte preocupação de não simplificar a linguagem falada em cena – o que, às vezes, fazia vários atores errar e ter de repetir as falas. "Falar errado não dá, mas a gente era obrigado a falar o português certíssimo. Não podia falar 'tá', era sempre está'. Era chato pra caralho", comenta Patricia Gasppar.

As primeiras gravações do *Castelo* não foram as das cenas principais: vários quadros foram gravados antes mesmo que Nino começasse a fazer seus feitiços pelo hall do castelo. Por uma questão técnica, o primeiro quadro a ser gravado foi o dos bonecos Mau e Godofredo. Na sequência, por problemas de agenda, vieram os cientistas: Tíbio e Perônio, uma ideia antiga de Flavio de Souza – originalmente, os dois irmãos foram criados pelo roteirista para o *Rá-Tim-Bum*. "Eram personagens meio bobos: dois adultos grandes que queriam descobrir, como as crianças pequenas, para que serve o lápis, o pires e a faca, por exemplo", explica o autor. No caso do pires, por exemplo, eles seriam capazes de descobrir que serve não só para enfeitar, mas também para não sujar a toalha ou queimar a mão com uma xícara de café quente.

Alijado da produção de 1990, o esquete voltou à tona quando Flavio resgatou os personagens e os embalou como dois pesquisadores que utilizam o método científico para tudo. Com a nova roupagem, eles ganharam identidade própria: Tíbio e Perônio, nomes inspirados em dois ossos do corpo humano. Tíbio faz referência à tíbia, popularmente conhecida como o osso da canela das pernas. Já o perônio, também chamado de fíbula, é o outro osso que compõe a parte inferior das pernas.

O que Flavio não esperava era que ele próprio fosse interpretar um dos irmãos – algo que só aconteceu pela insistência de Cao Hamburger. Apesar de já ter deixado o *Castelo* para ir para o SBT, não havia empecilhos: o contrato de Flavio com a emissora de Silvio Santos era apenas como roteirista, não como ator. Para acompanhá-lo, foi recrutado o ator e bailarino Henrique Stroeter, que esperou cerca de dois meses para assumir o posto de Perônio depois de ter feito o teste para o papel de Nino.

Para o visual dos gêmeos, a inspiração veio de duas duplas muito famosas: o Gordo e o Magro do cinema e os investigadores Dupond e Dupont, das histórias de *Tintim*, personagem de aventura criado pelo cartunista belga Hergé. Postos lado a lado, Souza e Stroeter pouco se parecem na fisionomia. Para igualá-los, o figurinista Carlos Alberto Gardin inicialmente cogitou o uso de máscaras – recurso prontamente descartado por Flavio de Souza, que tem claustrofobia. Para piorar, Flavio estava em uma fase "barbada" – na época, ele estava prestes a começar uma peça com Marília Pêra, na qual os dois fariam o casal Pierre e Marie Curie. No fim das contas, Gardin acabou improvisando uma barba falsa e muita maquiagem para Stroeter, contrariando a imagem asséptica do cientista de laboratório. "Nem sei se cientistas podem ter de fato a barba assim", brinca Gardin, que se inspirou em cores hospitalares e na visão do estilista Yves Saint Laurent sobre o futuro para as roupas dos personagens.

Pela pressa – fosse dos estúdios, fosse de Flavio, que logo começaria a ensaiar o espetáculo com Marília Pêra –, os 29 episódios de Tíbio e Perônio foram gravados em apenas duas semanas. Sem tempo para ensaiar, o jeito de "aproximar" os gêmeos foi recorrer ao improviso. "Como um bom bailarino, o Henrique começou a fazer tudo igual ao que eu fazia. Percebi que isso poderia ser útil", conta Flavio. Segundo o roteirista, a única coisa que a dupla criou espontaneamente foi a saudação "Olá, Olá", dita no início de todos os quadros, dirigidos por Hugo Prata – outro egresso da Olhar Eletrônico a se aventurar na Cultura.

Já o quadro dos instrumentos – conhecido popularmente como "Passarinho, que som é esse?" – teve de ser feito antes por causa de seu cenário, que ocupava um espaço tão grande que só cabia no estúdio principal, o mesmo que tempos depois receberia todo o *Castelo*. No quadro, duas patativas e um joão-de-barro têm a tarefa de mostrar às crianças diferentes instrumentos.

As duas passarinhas eram interpretadas por Dilmah Souza e Ciça Meirelles, mulher de Fernando Meirelles. Apesar do que diz uma famosa lenda urbana, a jornalista Sandra Annenberg, conhecida por apresentar o *Jornal Hoje*, da TV Globo, nunca participou do quadro. Já o joão-de-barro era feito por músicos convidados, que variavam na posição de acordo com o instrumento tocado. Entre os músicos que participaram das gravações estavam nomes como Mário Manga, da banda Premeditando o Breque, o citarista Alberto Marsicano e até o marido de Dilmah, o baixista Swami Jr.

Todos os quadros tinham uma mesma música, composta por Hélio Ziskind, que criou a canção pensando em como cada instrumentista podia mostrar sua arte. Tudo começa com um pequeno tema, seguido por uma parte que mostra como o instrumento soa com notas agudas, médias e graves. Depois disso, há espaço para um improviso e uma pequena seção na qual aparecem algumas notas que qualquer pessoa – até passarinhas e crianças pequenas – possa imitar. No fim, as passarinhas e o músico "cantam" juntos, até chegar ao refrão, quando finalmente se revela o nome do instrumento – algo como: "Que som é esse? Quem sabe o nome dele? Esse é o som do clarinete! Clarinete! Clarinete é assim, uau!" As gravações eram divididas em duas partes: primeiro, o músico convidado gravava o áudio com Hélio Ziskind em seu estúdio, na Vila Madalena. "Depois de 30 vezes fazendo a mesma música, eu escutava notas até na bateria", brinca Ziskind.

Com o áudio pronto, os músicos tinham o trabalho de ir até a Cultura para "dublar" o quadro, incluindo a tarefa de vestir a fantasia de joão-de-barro concebida por Carlos Alberto Gardin, inspirada no clipe de "Slave to the rythm", da cantora americana Grace Jones. Era um figurino versátil: "Usei um tecido de laicra com veludo, e dentro dele usei um perfil de PVC para que ele envergasse, imitando as penas de um pássaro", conta Gardin. "A vantagem da laicra é que o figurino era tamanho único, podendo ser usado por um músico magérrimo ou um grandalhão como o André Abujamra", explica. Já as passarinhas eram inspiradas em um modelo do estilista francês Thierry Mugler e no penteado clássico da atriz Shirley MacLaine.

"Era algo digno de uma *drag queen*. A gente ficava horas para colocar toda a maquiagem, com aqueles cílios enormes", lembra Ciça Meirelles. Para a atriz, o pior, no entanto, era a peruca que as duas atrizes utilizavam, que consistia em uma touca de natação apertada, cheia de penas coladas por cima. "No final de um dia de gravação, a cabeça gritava de tanta dor, mas a gente levava na boa. É que nem parto: dói, mas quando você vai ver, já foi", diz a atriz.

Veterana do *Rá-Tim-Bum*, no qual tinha sido uma das "porquinhas" de "A refrescante sensação", Ciça também participou como dançarina em outros quadros do *Castelo*. O principal deles era o Pentagrama, que aparece toda vez que alguém se senta na pianola da sala de música do Dr. Victor. É a deixa para que bailarinos vestidos de preto apareçam em um cenário com três faixas horizontais, cada uma delas contendo as cinco linhas-base para a escrita de uma partitura musical. Cada bailarino, por sua vez, representava um som diferente.

"Na tela, as imagens faziam uma confusão, mas se você fechasse o olho e só escutasse a música, a confusão sumia", explica Hélio Ziskind, responsável pela parte musical do quadro. A ideia era simples: que a criança entendesse que havia partes do mundo que vai conhecer com os ouvidos, e não com os olhos. Para Ciça Meirelles, a principal lembrança era a dificuldade de sair do personagem depois de um dia inteiro de gravação – normalmente, os dançarinos passavam pelo menos oito horas no estúdio, com a cara e o corpo inteiros pintados de preto. "Para tirar aquilo depois, só mesmo com esfregão!", diz Ciça.

Ciça Meirelles não foi a única a sofrer com as criações do figurinista Carlos Alberto Gardin. Com exceção das crianças e de Nino, quase todos os outros personagens principais tinham roupas cheias de camadas, penteados excêntricos e muita maquiagem. Dr. Victor tinha o que Gardin chamou de "roupa-cebola", com direito a colete, sobretudo e uma camisa de várias cores, fazendo Sérgio Mamberti suar de calor durante as gravações. Já a bruxa Morgana, apesar de seu topete excêntrico, usava mesmo o cabelo natural da atriz Rosi Campos, com direito a muito laquê. "Eu saía da Cultura toda desgrenhada, com umas mechas brancas, parecia uma bruxa mesmo", lembra a atriz.

Tanto Caipora como Penélope, por sua vez, exigiam de suas intérpretes muita paciência: ambas tinham figurinos complicados e precisavam passar por um ritual de maquiagem diário de pelo menos 75 minutos. Enquanto Patricia Gasppar usava saias de laicra com diferentes estampas e materiais presos, além de estampas de bichinhos, de oncinha, chifres e tiras de cabelo, tudo em tons quentes, Angela Dippe se montava todos os dias.

Respire fundo: Penélope usava unha postiça, maiô, duas meias--calças, *tailleur* por cima, enchimento para ficar com seios maiores, cílios postiços embaixo e em cima dos olhos, uma peruca e (ufa!) uma faixa

– tudo rosa. "Depois eu não podia nem ir ao banheiro", lembra a atriz. O visual acabou marcando o coração de gerações de crianças: "Sem querer, acabei fazendo parte do imaginário sexual de uma geração", diz a atriz. "Mas foi por eliminação: a Biba era uma criança, e a Caipora era uma entidade. Sobrou para a Penélope ter esse lado sexy, né?", brinca.

Quem também tinha dificuldades para se virar sozinho era o ator Wagner Bello, cujo Etevaldo tinha um corpo magro e comprido, com dentes pronunciados e uma roupa supercolorida. O problema mesmo eram as unhas do personagem, compridas e muito finas – a ponto de Bello ser incapaz, quando caracterizado, de pegar um copo d'água ou comer algo entre a gravação de uma cena e outra. Haja empatia.

Se os figurinos por si só já eram incômodos, eles ficavam ainda piores quando combinados a outro sério adversário das gravações do *Castelo*: o calor. Pense no que é trabalhar em um estúdio fechado, em uma cidade tropical, com um cenário iluminado por fortes luzes – afinal, para justificar como uma árvore podia crescer no meio do hall, o diretor de fotografia Marcelo Coutinho esbanjou na iluminação.

Numa época em que as lâmpadas ainda eram todas incandescentes, o clima ficava quente. Como se não fosse suficiente, os estúdios da Cultura não tinham ar-condicionado. Para ficar mais fácil, pense num forno. Pronto: talvez você tenha conseguido entender o que era estar no castelo na maior parte do tempo. "Tinha hora que a gente precisava abrir a porta dos estúdios para entrar ar. Enxugávamos o suor, refazíamos toda a maquiagem, esperávamos meia hora e voltávamos para gravar", lembra o ator Sérgio Mamberti.

Para os bonequeiros, que costumavam ficar em posições ingratas para conseguir representar seus papéis, o calor era ainda mais desgastante. É o caso de Álvaro Petersen Jr., por exemplo: para dar vida à cobra Celeste, ele ficava em uma posição desconfortável, manipulando a personagem em pé e com o braço estendido dentro da árvore construída por Silvio Galvão – uma estrutura de isopor, "quente pra burro". Em uma das gravações, a pressão de Petersen Jr. baixou demais: os atores deram a deixa para Celeste dizer sua fala e a cobra não saía de dentro da árvore. "Quando foram ver, eu estava totalmente apagado lá dentro", conta o bonequeiro.

Se o calor não ajudava, São Pedro tratou de atrapalhar um pouco mais a produção: entre outubro e março, São Paulo tem uma época de chuvas muito fortes. Em uma dessas chuvas de verão, o estúdio em que ficava o cenário do *Castelo* acabou inundado pela cheia do Tietê – não à toa, o bairro em que a Cultura fica se chama Água Branca. A enchente inundou o estúdio e acabou com o piso, que teve de ser refeito.

"Foi um deus nos acuda! A sorte foi que o trabalho do seu Monteiro era de primeira linha e os móveis aguentaram a água. O que estragou mesmo foi o chão", conta o cenógrafo Antônio de Freitas. Quando o estúdio finalmente secou, algumas cenas ainda foram gravadas, mas depois foi preciso parar para arrumar o estrago. Resultado: durante duas semanas, toda a equipe técnica usou espumas no joelho e pintou o chão à mão, com todos os detalhes, tim-tim por tim-tim.

Manifestações meteorológicas à parte, o clima nas gravações do *Castelo* era uma festa: mesmo perto do trio de atores mirins, os adultos falavam palavrão, faziam sacanagens, contavam piadas e davam conselhos. Não era difícil: o mundo mágico do cenário, cheio de gavetas, passagens secretas e engenhocas, ajudava na atmosfera saudável que havia no programa. Para Cassio Scapin, o bom clima entre os atores do *Castelo* é uma questão geracional: "Todo mundo já se conhecia fora do programa, era todo mundo gente do teatro de São Paulo", diz o ator. Assim, ao se reunirem para gravar uma cena, parecia que todos estavam ali para se divertir. "Ninguém tinha a pretensão de sucesso, nem feito muitos trabalhos em TV. Todo mundo queria se divertir e experimentar."[44]

Nem sempre todos os atores que não participavam do núcleo duro das filmagens – isto é, Cassio, as crianças, Mamberti, os bonequeiros e o convidado do dia – costumavam se encontrar. Mas houve uma vez em que a diversão de poucos se tornou uma festa coletiva – literalmente. Foi nas gravações do episódio "Rá-Tim-Bum", no qual a bruxa Morgana comemora seu aniversário de 6 mil anos.

Foi um dos episódios que mais demoraram para ser gravados: no roteiro, o personagem de Sérgio Mamberti, o Dr. Victor, deveria sair de dentro de um bolo, como uma surpresa para a bruxa. O problema é que demorava muito para que os contrarregras conseguissem colocar fogo nas 6 mil velinhas presentes no bolo – o que alimentava o clima de "recreio" de escola entre uma cena e outra. Conseguir fazer todos os atores ficarem quietos e as velinhas acesas já foi um desafio. Quando gritaram ação, nada aconteceu: Mamberti não saía de dentro do bolo. Todo mundo esperando e nada. Com tanto doce, o bolo acabou pegando fogo – e nada de o ator se manifestar. "Quando a gente foi ver, ele tinha dormido lá dentro e teve de entrar um bombeiro com o extintor para acalmar as coisas", lembra Luciano Amaral.

Para quem estava de fora, as gravações do *Castelo* pareciam maluquice. Por conta do tempo e de recursos financeiros para gravar (algo que não costumava acontecer na rua Cenno Sbrighi), a equipe da Cultura se permitiu ousar de diversas formas. Um exemplo é a forma como as câmeras eram posicionadas pelo cenário. Na maior parte dos programas, os cenários têm "três paredes" – considerando uma sala quadrada, o lado restante é reservado para colocação das câmeras e passagem da equipe técnica. No *Castelo*, porém, o cenário era aproveitado em praticamente 360 graus, de forma que não havia "fundo" para a equipe técnica.

"Lembro quando o Daniel Filho foi visitar o Castelo, depois de uma reunião na TV Cultura. Ele ficou de queixo no chão quando percebeu que a gente lidava com quatro paredes", conta a assistente de direção Regina Soler, a respeito do histórico diretor de televisão da Rede Globo. Apesar da função de assistente, Regina estava havia tempos na Cultura: ela já tinha passado pelo setor de jornalismo, participando de programas como *Vitória*, *Matéria Prima* e *Fanzine* – o sucessor do *Matéria Prima*, apresentado pelo escritor Marcelo Rubens Paiva desde 1992, depois que Serginho Groisman foi contratado pelo SBT para fazer o *Programa Livre*. No *Castelo*, ela se aventurava pela primeira vez no mundo da ficção.

Daniel Filho não foi o único a ficar impressionado com o programa – as visitas de diretores, atores e roteiristas no set de filmagens eram bem comuns. Uma delas acabou rendendo um novo quadro para o programa – e de um velho conhecido da Cultura. Na época morando no Rio de Janeiro, tocando um programa com o novato diretor João Moreira Salles, Marcelo Tas aproveitou uma passagem por São Paulo para reencontrar colegas de *Rá-Tim-Bum* no set do *Castelo*. Além de abraços, Tas saiu de lá carregado de fitas com o resultado das primeiras cenas do programa. "Inventa um personagem para você entrar no *Castelo*. Você não pode ficar de fora", disse o diretor Cao Hamburger.

A lâmpada criativa de Tas se acendeu depois de assistir a alguns episódios: por mais inteligentes que fossem Nino, Dr. Victor e os outros moradores do castelo, ninguém conseguia satisfazer a curiosidade de Zequinha – um típico menino na idade de perguntar "por quê?" Nascia ali o Telekid, espécie de avô do Google. Ou melhor: Telekid (chamado em suas primeiras versões de Videokid) é um menino que mora dentro de um computador e tem acesso a todo o conhecimento do mundo com seu controle remoto. Na época, o aparelho foi inspirado no visual do desenho *Os Jetsons*, da produtora americana Hanna-Barbera.

Aos olhos de hoje, porém, o controle se parece com um celular rudimentar. "É um *smartphone*, com certeza. Acho bárbaro que a ficção permite que você brinque com a imaginação, às vezes, concebendo coisas que ainda não tinham acontecido", comenta Tas. O primeiro *smartphone* do mundo, o IBM Simon, foi criado em 1993, mas o conceito só se popularizou na década seguinte, quando a Apple lançou o iPhone, em 2007.

Além do controle remoto, Telekid tinha ainda um visual colorido e moderno, bem à moda dos anos 1990 – uma mistura de skatista, por conta da bermuda e das cores berrantes, e das roupas acolchoadas dos Jetsons. O boné do personagem, criado por Carlos Alberto Gardin, é inspirado no Elroy, o filho mais novo da família Jetson. "É tudo muito desenhado e bem colorido, até para fugir um pouco do visual preto e branco, sisudo, do Professor Tibúrcio", comenta o ator.

Toda vez que Zequinha dizia "por quê?" – e recebia a terrível resposta "porque sim!" –, uma vinheta *high-tech* (na época) quebrava a narrativa, trazendo à tona o menino Telekid e seu indefectível bordão "Porque sim não é resposta". Como um computador, Telekid explicava a Zequinha tudo que era necessário sobre sua dúvida. Quando a explicação acabava, a cena voltava imediatamente de onde tinha parado. Além do *chroma key*, técnica já consagrada na Cultura, o quadro ainda usava e abusava de computação gráfica, ainda rudimentar, com interações malucas. "Uma das coisas mais bacanas é um quadro em que eu falo de uma galinha. De repente, a galinha aparece na tela, e nos instantes seguintes eu puxo uma galinha de verdade do meu lado", conta.

Por conta da agenda de Tas, os 12 episódios do Telekid foram gravados ao longo de um mês, nas madrugadas da TV Cultura – como o quadro usava todo o equipamento disponível da emissora em termos de tecnologia, só era possível gravá-lo depois que o último telejornal acabava. "A parte legal é que não precisava de edição: depois que acabava de gravar, o quadro estava pronto", comenta Tas. "Eu achava o máximo ficar fora do horário comercial, ir para o hotel enquanto todo mundo estava indo trabalhar", lembra Tas. Além de atuar, Tas dividia a direção do quadro com Ney Marcondes e o veterano de *X-Tudo* e *Glub Glub* Arcângelo Mello Júnior.

O controle remoto do Telekid era só uma das muitas geringonças tecnológicas presentes no *Castelo* – e quase todas elas eram prontamente quebradas por Cassio Scapin durante as gravações. "Ele era muito desastrado e vivia quebrando tudo, o que atrasava as gravações, mas ninguém ficava bravo", diz Luciano Amaral. Uma delas foi a Matemáquina – inventada pelo próprio Nino, que podia somar, subtrair, multiplicar ou dividir qualquer coisa, incluindo pessoas. Presente no episódio 8, "Multiplicação", a máquina contou com uma pequena ajuda da realidade para funcionar – em determinado momento do capítulo, Biba é multiplicada e acaba virando duas. Em vez de usar efeitos de computação gráfica e ilusão de ótica, a produção do *Castelo* optou por uma saída simples: arregimentar para o elenco a irmã de Cinthya Rachel, Vânia, dois anos mais velha, para filmar a cena em que duas Bibas andam de costas.

Pouco afeito a crianças, Cassio Scapin percebeu desde o início que só conseguiria representar bem o papel de Nino se estivesse no mesmo nível que o trio de atores mirins. Às vezes, as estripulias do ator passavam dos limites. Em todas as gravações, a atriz Cinthya Rachel usava um shortinho por baixo do vestido anos 1950 de Biba. Em um dia específico, porém, a atriz se esqueceu de colocar a peça de roupa por baixo do figurino. Foi justamente nesse dia que Cassio resolveu virar Cinthya de ponta-cabeça – aos 13 anos e com a saia virada ao contrário, a atriz acabou com a calcinha exibida para o estúdio inteiro.

O trio de atores mirins tinha uma agenda puxada na época de gravações do *Castelo*. Depois de irem à escola no período da manhã, Luciano, Cinthya e Fredy eram levados para a Cultura por um carro da emissora – às vezes, os três iam juntos, mas normalmente cada um ia em um veículo, muito por conta da distribuição espacial na cidade. Fredy morava no Cambuci e estava na terceira série do Jardim da Glória, na zona sul da capital paulista. Luciano, por sua vez, vivia na Liberdade e cursava a oitava série do Colégio São Bento, no centro. Cinthya também estava na 8ª série, mas era aluna do Monteiro Lobato, na Saúde, e residia no Jabaquara. Quando iam juntos, o motorista fazia uma via-sacra por São Paulo.

Ao chegar à Cultura, por volta das 13 horas, o trio almoçava e depois começava a gravar. Às 17 horas, havia uma pausa para lanche – e, eventualmente, um espaço para cuidar da lição de casa. Depois as gravações continuavam até a noite, acabando normalmente por volta das 20 horas, de segunda a sábado. Criança na época, Luciano Amaral hoje se surpreende com o alto-astral dos envolvidos no projeto diante da carga de trabalho do Castelo. "A maioria do pessoal da equipe trabalhava das 8 da manhã às 8 da noite. A tendência era rolar um estresse geral, mas nunca houve conflito entre as pessoas."

Não raro, Luciano, Cinthya e Fredy aproveitavam pequenas brechas para ir brincar nos jardins da Cultura – muitas vezes, era preciso mandar um contrarregra buscar os três, não sem alguns danos ao figurino. "A gente voltava suado, mas o pior era o Zequinha: ele tinha uma bota de couro branca, toda bonitinha, que voltava sempre manchada! Era uma bagunça", lembra Amaral.

Às vezes, as brincadeiras extrapolavam os limites – e viravam acidente. Um dia, o trio precisava entrar engatinhando no castelo. "Era a senha do Porteiro: a gente tinha de imitar bebês", diz Állan. "O problema é que eu tropecei na Cinthya e acabei quebrando o braço. Quando a gente entrou, eu não conseguia dar a fala; eu só chorava."

O acidente acabou afetando a continuidade do programa: depois dele, que aconteceu durante as gravações do episódio "Sua majestade, o bebê", Zequinha chegou a aparecer em alguns episódios devidamente paramentado com gesso e tipoia no braço.[45] A parte mais *nonsense* é que não havia nenhuma explicação para isso no roteiro. "Em um dos episódios, até perguntam para ele o que havia acontecido. Ele responde: 'Ah, quebrei o braço', como se tivesse acabado de tomar café da manhã, algo bem natural", diz Amaral.

Já o bonequeiro Fernando Gomes quebrou a clavícula – um dos ossos que fazem a ligação entre o tronco e os braços – em um acidente de moto. O *show* não podia parar, mas Gomes era incapaz de dar vida ao Gato Pintado com o osso quebrado. Para resolver a situação, o jeito foi escalar Luciano Ottani para manipular o guardião da biblioteca enquanto Gomes não sarava. A posição era engraçada: Ottani e Gomes ficavam escondidos atrás da cadeira do Gato – enquanto um mexia o boneco, o outro o dublava, em perfeita sincronia.

Quem também ficou doente durante as filmagens foi o ator Cassio Scapin: o ritmo das gravações era tão puxado e exaustivo – ainda mais para o protagonista, quase sempre em cena – que um dia ele teve um esgotamento nervoso e ficou com o lado esquerdo do corpo todo paralisado. Para não atrasar as filmagens, o jeito foi corrigir as coisas no roteiro – em uns dois ou três capítulos, Nino fica meio dormindo, como se estivesse doente. "Eu estava estragado", lembra Scapin.

O decorrer das gravações do *Castelo* teve despedidas e retornos – em todas as ocasiões, as causas foram nobres. Um dos casos foi o de Anna

Muylaert: durante o programa, ela ficou grávida do marido, o músico André Abujamra, da banda Os Mulheres Negras e na época iniciando um novo projeto, o Karnak. Depois de nove meses, o resultado foi José, seu primeiro filho. Além disso, Anna foi convocada por Beth Carmona para pensar em um próximo programa para a grade infantil da Cultura – esse, porém, é um capítulo de outra história.

Já Philippe Barcinski teve de abandonar o estágio para não ser jubilado no curso de Cinema da ECA – afinal de contas, as 14 horas de trabalho diário não lhe davam muito espaço para fazer outra coisa. Antes de ir embora, no entanto, ele teve a chance de brincar com as câmeras, em suas primeiras oportunidades como diretor. Tudo começou com o *Como Se Faz*, quadro herdado do *Rá-Tim-Bum* que tinha como objetivo mostrar, em clipes documentais, o processo de fabricação de diversas coisas, de um tijolo a um gibi.

No programa de 1990, os clipes eram acompanhados por um improviso de um *rap*, mas no *Castelo* eles aparecem emoldurados por um samba animado composto por Wandi Doratiotto, do grupo Premeditando o Breque. Na época, Wandi apresentava o *Bem Brasil*, programa musical dos domingos da Cultura, com *shows* ao vivo direto do Sesc Interlagos, na zona sul da capital paulista. Wandi também foi o câmera Zé, companheiro da repórter Darlene e do apresentador Ari Nelson no *Rá-Tim-Bum*. Quem começou dirigindo o projeto foi Renato Fernandes, mas no final Cao se sentiu seguro para confiar as filmagens a Barcinski. "Me mandavam ir à fábrica de guarda-chuva mostrar como um guarda-chuva era feito. Para mim, superjovem, era uma delícia", conta ele. Na edição final, as imagens de Barcinski eram sobrepostas pela charmosa canção de Wandi, que, em clima divertido, dizia que, "fazendo tudo com carinho, vai acontecer".

Vendo que tudo tinha funcionado bem, Cao entregou a Barcinski a direção de outro quadro completo: os *Curumins*, que mostrava as aventuras dos indiozinhos Poranga e Porunga e sua relação com a natureza. A equipe do *Castelo* teve dificuldade para encontrar os dois garotos: relatórios de testes na TV Cultura dão conta de que os contatos para achar os intérpretes dos curumins foram feitos apenas em novembro de

1993, quando a produção do programa já estava a toda velocidade. No fim das contas, Luan Ferreira, de 7 anos e 1,16 m de altura, e Jonatas Martim, de 8 anos e 1,30 m de altura, foram os escolhidos para protagonizar as histórias, escritas por Tacus.

Para um iniciante como Barcinski, era um quadro difícil: envolvia atores infantis e cenas externas no meio de uma mata, dois complicadores que já frustraram a carreira de vários diretores. Mas o estagiário entregou o trabalho direitinho – e até hoje se orgulha do resultado. "Uma das coisas de que eu mais gosto no quadro é que a gente mostrou os meninos pelados, com pintinho de fora, algo supernatural. Não sei se isso seria possível nos anos 2000", comenta. A narração dos quadros ficou por conta de Patricia Gasppar – no *Castelo*, o quadro dos Curumins aparecia quando a Caipora contava suas histórias às crianças. Ao contrário de Barcinski, ela não gosta de rever a experiência. "Eu estava gripada quando dublei as histórias. Se pudesse, faria de novo!"

Por outro lado, o filho pródigo à casa retornou mais uma vez: Flavio de Souza. No início de 1994, o roteirista voltou à equipe do *Castelo* após o fim de seu contrato com o SBT. Pouca coisa deu certo na passagem de Souza pela emissora do Homem do Baú: cotada para inaugurar uma nova faixa de novelas na programação do canal 4, *Mariana, a Menina de Ouro* foi perdendo *status* ao longo do tempo.

Primeiro, seria uma novela de 130 capítulos diários, cada um com 42 minutos, exibidos às 20h30, pronta para concorrer com o *Jornal Nacional* e a "novela das 8 da Globo", com previsão para estrear em junho de 1993. Depois, foi transformada em uma série "infantojuvenil" – uma espécie de "*Mundo da Lua* feminino", com 30 capítulos. Atores como Denise Fraga, Mira Haar, Etty Fraser, Iara Jamra, Ary França e José Rubens Chachá foram todos cotados para o programa.

Em julho, reportagem da *Folha de S.Paulo*[46] dizia que a série novamente se transformara em novela, dessa vez voltada para o público adulto, para ser exibida às 21h30, enquanto o *Jornal do Brasil*[47] publicava que as gravações começariam em setembro, com direção de Fernando Meirelles e Hugo Prata. Nada disso chegou a acontecer: "O que eu não sabia e só descobri depois era que fui contratado pelo SBT para sair da Cultura. Só isso", diz Flavio de Souza. "Meu nome era o primeiro que aparecia no *Mundo da Lua*, que estava incomodando o Silvio Santos. Eles só não queriam que eu fizesse outro sucesso igual."

Ao voltar para a Cultura, Flavio recebeu duas missões especiais: a primeira – exigência feita pelo próprio Cao Hamburger – era escrever o roteiro do primeiro capítulo do *Castelo* com base em uma sinopse elaborada por Anna e Cao. A segunda era cuidar das sinopses e dos roteiros de mais 20 episódios. Pouco depois do retorno de Flavio à rua Cenno Sbrighi, a equipe de programação reviu o orçamento do *Castelo* e percebeu que tinha verba para ampliar o programa para 90 episódios. "A Rosa Crescente, que trabalhava comigo na programação, descobriu que a gente tinha verba sobrando. Foi uma alegria", conta a diretora Beth Carmona.

Por questões de recursos, vários quadros aparecem repetidos nesses programas, uma vez que os estúdios em que foram gravados já haviam sido desativados – é o caso de Tíbio e Perônio e dos Instrumentos, por exemplo. Por outro lado, o time de roteiristas, encabeçado por Flavio, teve liberdade para propor alguns dos episódios mais marcantes do programa, com direito a gravações externas e participações especiais.

É o caso, por exemplo, do capítulo em que Morgana recebe as bruxas más dos contos de fada para um chá no castelo, com direito à participação de Mira Haar e Chris Couto. Ou "A Bolinha do Vestido", em que a turma do *Castelo* organiza um desfile de moda, vencido pela Penélope. Outro bom exemplo é "Leite", um bonito episódio no qual Nino e Bongô vão até a cidade natal do entregador de pizza buscar leite com os pais de Bongô para que Nino fizesse um bolo para o tio Victor.

Nenhum deles, porém, foi mais marcante do que "Zula, a Menina Azul". Idealizado a pedido da pedagoga Zélia Cavalcanti, o capítulo fala sobre preconceito de forma cativante. Certo dia, aparece no castelo uma menina azul, mas nenhuma das crianças do grupo quer brincar com ela. Isolada, Zula vai fazendo amizade com os bonecos do castelo e com Penélope, que dá uma bronca em Nino, Pedro, Biba e Zequinha por não quererem brincar com quem é diferente. No final do episódio, todos brincam juntos com um truque mágico feito por Zula: ao estalar os dedos, ela faz cair do céu um mar de bolas azuis.

"Quando gravamos a cena, achamos que fosse um ensaio! Do nada, começaram a cair zilhões de bolas, e a gente não sabia o que fazer", conta a atriz Júlia Tavares, escolhida para o papel da garota azul. Inicialmente, Júlia havia feito testes para ser a Biba, mas não foi aprovada. "Eu fui uma das finalistas, mas no meu núcleo de crianças não tinha nenhum negro, e precisavam que uma das crianças fosse negra", conta ela, que teve sua primeira experiência como atriz no *Castelo*. Não à toa, Júlia passou o dia inteiro de gravações encantada – mesmo que o episódio em que participasse fosse triste, a atriz só conseguia rir. "Lembro que o Fernando Rodrigues ficou bravo comigo, perguntou se eu achava que estava num circo", lembra a atriz. "Só aí eu consegui ficar triste."

Quem estava por trás das câmeras ou se escondia atrás de um boneco também teve a chance de aparecer de corpo e alma no programa. "Foi uma homenagem que a equipe fez para nós", lembra Fernando Gomes, que fez uma ponta como mensageiro do Capitão Baleia, um inusitado marinheiro que visita o *Castelo* em um dos episódios. Alma do Mau e do Porteiro, Cláudio Chakmati foi pipoqueiro no episódio em que a turma do programa – Morgana inclusive – vai ao Zoológico de São Paulo ("É proibido entrar com animais"), enquanto Álvaro Petersen Jr. fez o papel de um príncipe encantado. O músico André Abujamra, por sua vez, também fez uma pequena participação como *cameraman* em um episódio. Já a diretora Eliana Fonseca, responsável pelos quadros da bruxa Morgana, acabou fazendo um papel que entrou para a história de sua carreira: a babá Naná, no episódio "Uma babá nada boba". Contratada pelo Dr. Victor, Naná aparece no programa para cuidar de Nino – mais especificamente, para que o aprendiz de feiticeiro não atrapalhe o tio enquanto este conclui um trabalho importante. O problema era que a babá era linha-dura – e tratava Nino e as crianças como bebês.

"Ela era uma nazista *sexy*", define a atriz. "Qualquer pessoa normal ia falar que a gente estava louco de fazer isso em um programa infantil, mas a babá tinha essa liberdade, sem ser vulgar". Hoje, professora de roteiro em cursos do Serviço Nacional do Comércio (Senac), Eliana sente a repercussão do papel. "Vira e mexe, tenho de parar minha aula para fazer 'palminha, palminha, palminha'", conta a atriz. "Isso quando não vem um marmanjo de 30 anos perguntar se pode sentar no meu colo, como a babá. 'Pode, senta que lá vem história!'", diverte-se.

A maior parte das séries de TV funciona de forma simples: primeiro, equipe e atores gravam um programa piloto, cuja função é servir de teste para os executivos da emissora de TV e o público – nos Estados Unidos, é bastante comum diversos "testes" irem ao ar e só ganharem aprovação caso tenham boa audiência. Com o *Castelo*, porém, não era assim – e o primeiro capítulo foi, na verdade, um dos últimos episódios a ser gravados.

"Eu nunca começo pelo primeiro, que é um episódio sempre importante. Até chegar a ele, a equipe já ficou aquecida, os atores já entraram no personagem e o diretor tem domínio de sua linguagem. É um costume", explica Cao Hamburger. Segundo o diretor, o primeiro episódio a ficar pronto foi o de número 16, "É taça, é raça, é graça", no qual Nino, as crianças e Bongô iniciam uma gincana esportiva e Biba acaba quebrando um troféu do Dr. Victor ao chutar uma bola de futebol. Como os primeiros episódios com Bongô foram gravados apenas em julho de 1993, período de férias escolares no cursinho Anglo, em que o ator dava aulas, é possível imaginar que o *Castelo* teve pelo menos um mês de ensaios no cenário.

Já a primeira vez em que um episódio foi editado acabou sendo decepcionante para a equipe: como vários quadros não tinham sido gravados, Como vários quadros não tinham sido finalizados, Cao editou as cenas com "cartolinas de papelão" para indicar onde eles ficariam. "Fiquei satisfeito, mas, quando mostrei para a equipe, estava todo mundo meio desanimado", lembra Cao. "Eles não tiveram o poder de abstração que eu tive." Houve quem temesse que o castelo fosse desabar: "A gente fez um investimento muito grande sem saber se ia dar certo. Eu tinha um baita medo", diz a diretora de Programação Infantil Bia Rosenberg.

O processo de edição foi longo e árduo, somando 3 mil horas de trabalho. "A gente editava os programas sem as trilhas. Aí, mandávamos para a sonorização", lembra Regina Soler. Um cuidado especial foi tomado com a sonorização dos episódios, feita por André Abujamra e Luiz Macedo, que tinha passagens por bandas como Orquestra Heartbreakers e Sossega Leão – esta última chegou a ter os titãs Nando Reis e Paulo Miklos em formações anteriores. "Fazíamos a sonorização na unha, com fitas de videocassete. Era bastante artesanal", lembra Macedo, que foi indicado por Cao Hamburger. Os dois trabalharam juntos em *A Garota das Telas*.

Se Nino estivesse usando uma vassoura em um episódio, a dupla precisava gravar o som de uma vassoura em uso para inserir no programa. O mesmo valia para bolas, brinquedos e qualquer bugiganga que o Dr. Victor inventasse. Macedo e Abujamra ainda compuseram pequenos temas instrumentais para cada personagem, que eram retrabalhados à medida que a ação acontecia na tela. Caso Nino estivesse correndo, a sequência de notas aparecia de forma acelerada. Caso ele estivesse aprontando alguma, as notas apareceriam em *pizzicato*, por exemplo.[48] A dupla não tinha preconceito musical. "Misturamos todos os gêneros, de música brasileira à *heavy metal*, na base do *sampler* com instrumentos e efeitos sonoros digitais", declarou Abujamra na época[49]. Em uma "conta de padaria", a dupla afirmou que "cada episódio do *Castelo* equivale à metade de um LP. No fim dos 90 episódios, é como se tivéssemos gravado 45 LPs. É uma coisa absurda"[50].

Apenas quando o episódio estava sonorizado Cao fazia os ajustes finais. "O problema é que ele vivia pedindo alterações nas cenas e nas edições. Mas só com o OK dele é que o programa iria ao ar", conta a assistente de direção Regina Soler. Antes do aval final, Cao contava com o auxílio de dois espectadores-alvo muito especiais: seus filhos. "Ver a reação dos filhos foi algo muito importante para ele. O olhar da criança é bem diferente do olhar do adulto", avalia Soler.

Com o trabalho (quase) pronto e a estreia agendada para o dia 9 de maio de 1994, era hora de chamar os coleguinhas para assistir ao primeiro episódio. A primeira exibição pública – fora das ilhas de edição da Cultura, claro – foi feita em uma sessão especial realizada dentro da emissora, só para os funcionários. No convite, a emissora dizia que "Dr. Victor, bruxa Morgana, Nino e as crianças esperam por você para mostrar os encantos e mistérios do CASTELO RÁ-TIM-BUM". Às 11h da manhã do dia 29 de abril de 1994, uma sexta-feira, o *Castelo* ganhou vida própria na sala do conselho curador da TV Cultura.

"Eu gritava que nem criança, pulava que nem criança, todo mundo ficou assustado com a minha atitude. A minha criança interior adorou, ria de cada coisa... Era tudo muito chique", lembra o artista plástico Silvio Galvão. Para Jésus Seda, criador dos bonecos do *Castelo*, a experiência de ver o primeiro capítulo foi de tremer as pernas. "Eu não tinha ideia de que seria uma coisa tão ampla, tão complexa. É como ser o cara que toca pistom na orquestra. Ele conhece o grupo do naipe de metais, mas quando vai tocar com todas aquelas pessoas ele fica impressionado", diz Seda.

Flavio de Souza, que chegou atrasado, se lembra de assistir ao episódio em pé, no fundo do auditório. "Foi a primeira vez que eu vi um programa de televisão do qual eu participei e me senti orgulhoso", conta. "Eu sempre ficava frustrado. No *Castelo*, isso não aconteceu." Já o presidente Roberto Muylaert, embora tivesse o costume de passar no estúdio para ver como as coisas estavam andando no *Castelo*, percebeu pela primeira vez que o investimento milionário havia valido a pena. "Acertamos um *jackpot*!"[51], disse ele a si mesmo no final do episódio.

O próprio Muylaert encabeçou a divulgação do programa dentro da emissora, antes da estreia: ele compareceu ao *Jornal da Cultura* para falar sobre o *Castelo*, ajudando a criar um burburinho em torno da atração. Além da divulgação boca a boca, programas jornalísticos da casa, como o *Vitrine* e o *Metrópolis*, antecipavam o lançamento do programa.

No dia da estreia, faltava apenas abrir a porta do *Castelo* para o público de casa.

"E aí, Porteiro, qual é a senha de hoje?"

10. "Ele só queria ter alguns amigos..."

O tempo amanheceu ensolarado em São Paulo no dia 9 de maio de 1994. Em pleno meio de outono, a temperatura em torno dos 20°C até poderia fazer um desavisado visitante pensar que aquela fosse uma época tranquila na capital paulista. Nas manchetes do dia, os jornais da cidade davam o tom de desconfiança e pesar que tinha abatido o país naquele mês.

Não eram dias fáceis.

Na *Folha*, a manchete era "Governo não define regras do real".[52] No *Estadão*, "Itamar anuncia real para 1º de julho".[53] Real, no caso, era o nome de uma nova moeda criada pelo governo na época para tentar, mais uma vez, controlar o dragão da inflação. Em 1993, por exemplo, o país viveu o auge do problema: alguns dos principais índices econômicos, como o IPCA e o INPC, tiveram, em média, alta de 2.500%. A hiperinflação era um mal que assombrava a carteira e a conta corrente dos brasileiros havia mais de uma década. Para combater a escalada nos preços, diversos governos bolaram receitas heterodoxas, como o congelamento de preços do Plano Cruzado (1986) ou o confisco do dinheiro da população no Plano Collor (1990). Houve ainda nada menos que quatro trocas de moeda em um espaço de oito anos.

O Plano Real era mais ousado: criava uma unidade monetária de transição, a Unidade Real de Valor (ou URV), ao mesmo tempo que desvalorizava a moeda corrente, o cruzeiro real. No tempo certo, a URV seria trocada por uma terceira moeda, o real. Mesmo com data marcada para valer a partir de 1º de julho, em menos de dois meses, a nova moeda ainda não tinha suas regras de conversão definidas, causando insegurança em muita gente. Na capa da *Folha*, uma nota dava a medida da desconfiança: um dia antes de revelar as regras da substituição da moeda corrente pelo real, o ministro da Fazenda, Rubens Ricupero, tinha passado cinco minutos rezando sozinho após a missa de domingo do Mosteiro de São Bento, uma das igrejas mais tradicionais de São Paulo.

Na pior das hipóteses, o real seria outro plano mirabolante que deu errado. Mas seu sucesso poderia definir muita coisa – inclusive, o próximo presidente. Na capa dos jornais, a campanha eleitoral para a Presidência da República já se antecipava. À esquerda, o principal nome era o candidato do Partido dos Trabalhadores (PT), o sindicalista Luiz Inácio Lula da Silva. Mais ao centro, ficava o ex-ministro da Fazenda e responsável pela primeira fase do Real, o sociólogo Fernando Henrique Cardoso, do Partido da Social Democracia Brasileira (PSDB). Na capa do *Estadão*, Lula dividia espaço com o fim do sequestro do pai de Romário, o craque da Seleção Brasileira, que em breve se prepararia para disputar a Copa do Mundo dos Estados Unidos.

Não que no esporte as coisas estivessem mais tranquilas: comandada por Carlos Alberto Parreira, a Seleção Canarinho havia sofrido para se classificar nas eliminatórias, chegando até a perder para a Bolívia em La Paz por 2 a 0. A seleção amargava um jejum de 24 anos sem ganhar uma Copa do Mundo, algo inadmissível para o país do futebol. O time de Parreira não ajudava, jogando um futebol pouco vistoso, sem dribles nem grandes jogadas. "O gol é um mero detalhe", chegou a dizer Parreira antes da Copa, soando como um técnico alemão em uma época em que o 7 a 1 era obra de ficção científica.

Além disso, a seleção tinha a difícil missão de dar alento ao país após a morte de Ayrton Senna. No Dia do Trabalho, o tricampeão mundial de Fórmula 1 se chocara contra o muro na curva Tamburello, no tradicional circuito de Monza, em San Marino. Ali se encerrava, de forma prematura, a carreira de um dos maiores heróis do esporte nacional – lembrado pela revista *Veja* na capa daquela semana.[54] As manhãs de domingo nunca mais foram as mesmas.

A grade de programação das televisões também oferecia pouco alívio – especialmente para os pequenos telespectadores. A criança que ligasse a televisão às 19 horas, depois de um dia na escola, na creche ou brincando na casa dos avós, teria poucas opções interessantes para se entreter antes da hora de jantar, escovar os dentes e ir para a cama. A TV Bandeirantes, por exemplo, exibia o *Rede Cidade*, telejornal local com gotas extras de sangue. A Record, no canal 7, e o SBT, no 4, também apostavam no jornalismo: a primeira mostrava o *Jornal da Record*, apresentado por Carlos Oliveira e Adriana de Castro, enquanto a emissora de Silvio Santos tinha o *TJ Brasil*, ancorado por Boris Casoy.

Líder de audiência, a Globo transmitia no horário uma de suas novelas de maior sucesso dos anos 1990: *A Viagem*. Embalada pela canção de abertura, cantada pelo grupo Roupa Nova, a trama de cunho espírita foi escrita por Ivani Ribeiro a partir de livre inspiração nos livros do médium Chico Xavier. Um de seus destaques era o vilão Alexandre, vivido pelo ator Guilherme Fontes: usuário de drogas e álcool, ele passou boa parte da narrativa preso no "vale dos suicidas" depois de se matar na cadeia.

Já a Gazeta/CNT, no canal 11, e a hoje extinta Manchete, no 9, ao menos tentavam oferecer opções para as crianças, mas de qualidade duvidosa. A emissora da Fundação Cásper Líbero apostava em *Tudo por Brinquedo*, apresentado pela cantora infantil Mariane, repetindo a receita de plateias recheadas de crianças, produtos de *merchandising*, desenhos animados, gincanas e loiras com evidente apelo sexual. A Manchete, criada pelos irmãos Bloch, exibia a série *Cybercop, os Policiais do Futuro*, versão japonesa do universo de *Robocop*, filme dos anos 1980 dirigido por Paul Verhoeven. Nada inspirador nem educativo. Presente no país havia pouco menos de cinco anos, a TV por assinatura ainda era um negócio incipiente, atingindo menos de 1%[55] dos 159,4 milhões de brasileiros na época.[56]

No entanto, aquela segunda-feira era um dia diferente. Se, depois de zapear por todos os canais, o pequeno espectador apontasse o controle remoto para a Cultura, no canal 2 da Grande São Paulo, teria uma surpresa. Na tela, uma árvore gigante de seis metros de altura brotava do chão e, ao seu redor, crescia um castelo. Um castelo encantado, rodeado por arranha-céus típicos de cidade grande. A ação era acompanhada por uma música enigmática, com arranjos orquestrais e uma letra formada apenas por onomatopeias. Na tela, a construção evoluía de tal forma que, em meio a lunetas e engenhocas, um pequeno carrinho aparecia, pronto para hastear uma bandeira. Enquanto o mastro chegava ao topo da edificação, fogos de artifício explodiam no céu e um simpático símbolo surgia na tela mostrando o nome da atração: *Castelo Rá-Tim-Bum*.

Na abertura, apenas sete nomes apareciam na tela. Os seis primeiros eram dos atores principais da série: Cassio Scapin, Sérgio Mamberti, Rosi Campos, Luciano Amaral, Cinthya Rachel e Fredy Állan. O sétimo era o do diretor-geral Cao Hamburger. No entanto, engana-se quem pensa que o mérito do *Castelo* seja apenas de Cao – a própria abertura, com pouco mais de 50 segundos, é um dos melhores exemplos disso. Em entrevista a este livro, Cao conta que não se envolveu intensamente nessa parte do projeto. "Inicialmente, a intenção era fazer tudo com 3D e computação gráfica, algo que estava começando na época", lembra o diretor. Ele só não contava com a astúcia de Silvio Galvão, chefe de efeitos especiais da TV Cultura.

Quando a equipe de cenografia foi montar o cenário do programa, Silvio ficou com a tarefa de fazer uma maquete, em escala 1:10, para ajudar na hora de transformar o que havia sido desenhado nas pranchetas em realidade. Para Silvio, a maquete era parte de seu mundo mágico: tomando o espaço de uma mesa de 3 metros de largura por 3 metros de comprimento, o artista plástico usava-a como brinquedo, puxando, esticando e imaginando histórias ali dentro. "Eu sempre gostei muito de maquetes construtivistas. Uma maquete construtivista é aquela que mostra não só um prédio, mas também o trabalho de construção desse prédio", explica. Depois de ajudá-lo a convencer a direção de que era preciso ter uma árvore bem no meio do hall do castelo, a maquete foi parte da nova obsessão de Galvão: transformá-la no objeto da abertura do programa. "A computação gráfica da época não era suficiente para fazer o que eu fazia. Propus que a gente fizesse a abertura com a desconstrução do *Castelo*."

E assim foi feito: a famosa abertura que se vê na tela foi, na verdade, filmada ao contrário, com o castelo sendo desmontado, em um trabalho que demorou cinco meses. O fundo, da cidade com grandes arranha-céus, foi herdado do cenário do *Metrópolis,* o programa jornalístico-cultural da Cultura. Além de ser usada na abertura, a maquete também foi útil para fazer os links externos do programa – isto é, as passagens de uma cena para outra.

"Quando eu vi a maquete, fiquei impressionado. Acabei filmando muito com aquela maquete, fizemos duas diárias, fazendo variações, dias nublados, noite, dia, movimento para cá e para lá", conta Cao Hamburger. As transições entre as cenas de ficção e o quarto da Morgana, por exemplo, foram feitas com a maquete. "Se a gente tivesse feito a abertura em 3D, não ia ser tão chocante", diz o diretor.

Para combinar com o visual da abertura, seria necessária uma trilha sonora grandiosa. O projeto foi dividido a seis mãos por alguns nomes fortes da música independente paulistana da época: Luiz Macedo, Hélio Ziskind e André Abujamra. Os três quase não trabalharam juntos: logo no começo do processo, Abujamra teve de viajar e deixou três ideias com os companheiros. "Mas olha o que ele deixou: uma foi o 'bum bum bum, *Castelo Rá-Tim-Bum*!', que por si só já era demais", lembra Ziskind. "Outra foi o ritmo da bateria em crescendo, justo na hora em que o braço mecânico vai colocar a bandeira no topo do *Castelo*. E a última foi um *riff* de guitarra, algo como 'tim, tam, tum'. E aí ficamos o Luiz Macedo e eu pensando nisso", diz o músico. Motivado, Ziskind decidiu tentar repetir o experimento feito na abertura de *Glub Glub*: criar uma letra apenas usando as sílabas presentes nas palavras "castelo" e "Rá-Tim-Bum".

Para dar o tom grandioso de que a abertura precisava, Luiz Macedo foi buscar inspiração em Hollywood: por semanas, ele só ouviu trilhas de filmes como *Star Wars, Indiana Jones* e *E.T.* "Até música de monstros japoneses eu fui ouvir", lembra. Para não errar, o processo de composição foi demorado: "Fomos picotando esse negócio até conseguir montar uma cançãozinha, ajustando com os esboços de imagens que a equipe da TV nos mandava com a abertura", lembra Ziskind.

Quando finalmente André Abujamra voltou de viagem, o trio já tinha a canção quase pronta. Faltava só gravar. O arranjo grandioso, em tom de orquestra, incluía cordas, guitarras, vocais e sopros. Apesar do trabalho árduo, Macedo se lembra do ambiente divertido de gravação. "Era fácil trabalhar. As ideias eram muito convergentes, e todos nós éramos afinados naturalmente."

Após a abertura, a cena inicial dá a impressão de que o programa exibido na tela é uma história de suspense: uma porta se abre e as câmeras se movem para um plano que deixa ver apenas o corpo dos atores, sem exibir seu rosto. Victor e Morgana são os dois primeiros personagens que aparecem na tela. Em tom sombrio, os dois travam um diálogo sobre Nino, solitário no castelo, sem amigos para brincar.

— Então, Morgana, está daquele jeito outra vez? — diz Victor.

— Psssss. Está, como todo ano, quando começam as aulas — responde a feiticeira.

— Oh, não, não!

— Ai, Victor, Victor. Estive pensando. Por que não tentamos mais uma vez só?

— Raios e trovões! Nós já tentamos o ano passado, o ano retrasado, o ano re-retrasado, e nada! Faz 150 anos que nós estamos tentando. Não adianta! Nenhuma escola vai aceitar uma criança com 300 anos de idade!

— Pobre Nino... Ele só queria ter alguns amigos!

— Pobre Nino...

A frase é repetida por uma gralha de espuma e um livro falante. A câmera se desloca e aparece um jovem adulto – o tal Nino? –, que usa uma luneta para espionar alguém a distância, em uma passagem digna de *Janela Indiscreta*, de Alfred Hitchcock.

A sequência seguinte é ainda mais enigmática: toca o sinal em uma escola do centro de São Paulo. É o fim do primeiro dia de aula daquele ano. Três crianças, de séries e idades diferentes, se encontram para voltar para casa juntos, como fazem desde pequenos. Mais alto e mais velho, Pedro tem na cabeça uma cartola azul e óculos de aro vermelho. Única garota do grupo, Biba usa um vestido anos 1950, com tons pastel. O caçula da turma é Zeca, que usa um boné e um macacão todo colorido. Ele leva uma mochila nas costas e uma bola de basquete nas mãos. Em seus primeiros passos, o trio troca impressões sobre as aulas e os novos professores. Mas, de repente, a bola de Zeca parece enfeitiçada.

Primeiro, ela levita no ar. Pedro pula várias vezes e tenta alcançá-la, sem sucesso. Espanto. A bola começa a voar, fora de controle, como que fugindo das crianças. Elas correm para longe da escola, derrubando colegas, velhinhas e até mesmo um pipoqueiro no meio do caminho. O truque misterioso persiste, fazendo a bola viajar por uma praça inteira, uma casa com muro alto e um jardim enorme. Os três garotos continuam na perseguição, até que deparam com um castelo mal-assombrado, rodeado por arranha-céus típicos de uma grande cidade. Ué, um castelo no meio de São Paulo? Ainda sob o efeito do feitiço, a bola entra no castelo, atraindo não só as crianças, mas também quem estivesse acompanhando suas aventuras do outro lado da telinha naquele maio de 1994.

A vasta maioria das cenas do *Castelo* foi toda feita dentro dos estúdios da Cultura. O caráter especial do primeiro capítulo, porém, transformou-o em um dos raros momentos em que há cenas externas (gravadas fora de estúdio) em todo o programa.[57] Para representar a escola em que o trio de crianças estuda, foi escolhido o Colégio de Santa Inês, fundado em 1907 no bairro do Bom Retiro.

Já para a vila histórica que Pedro, Biba e Zeca cruzam antes de chegar ao Castelo, a locação foi o Parque Residencial Savoia (ou Saboya), conjunto residencial de 14 casas situado entre a rua Vitorino Carmilo e as alamedas Ribeiro da Silva e Eduardo Prado, no bairro da Barra Funda. A sugestão foi do ator Cassio Scapin, que morava na vizinhança. Construído nos anos 1930 para abrigar a família do polonês Salvador Markowicz, o Parque Savoia chegou a ser ocupado por cortiços nos anos 1980, antes de ser restaurado e virar locação de TV. Depois do *Castelo*, novelas da Record e da Bandeirantes usaram o local, tombado em 2009 pelo Condephaat[58]. Nos anos 2010, o imóvel chegou a ser ocupado pela Casa de Cultura Digital, espaço que reunia cursos, atividades e palestras na área de tecnologia e comportamento, mas foi desativado. Hoje, é sede de pequenos escritórios e da agência jornalística Pública, além de ter residências – enquanto este livro é escrito, um dos sobrados do conjunto está disponível para aluguel. O preço? R$ 3,5 mil por mês.

Quando as crianças entram no lugar, a bola de Zequinha some misteriosamente. As crianças se dividem para procurá-la, não sem algum medo. Enquanto Zeca some pelos encanamentos do castelo e tem de ouvir a gargalhada fatal do Mau, Biba se assusta com um rato. É compreensível: afinal, para a maioria das pessoas, rato é um bicho sujo, que não toma banho e vive em tocas imundas.

Mas aquele não era um rato qualquer. No *Castelo Rá-Tim-Bum*, vive um ratinho simpático e dentuço, que adora passear com seu Ratomóvel pela sala, entre mesas, cadeiras e pés dos personagens. Quando se cansa, o simpático ratinho, chamado Rá-Tim-Bum, volta para casa para tomar um banho, escovar os dentes ou ensinar às crianças sobre reciclagem, em animações feitas com massinha por Marcos Magalhães. Não foi barato: cada minuto de animação custou cerca de US$ 2 mil à Cultura. De acordo com o "cânone" do *Castelo*, o nome do ratinho não é à toa: ele é a mesma criatura que busca o queijo e dá início à máquina de Goldberg na abertura do *Rá-Tim-Bum*. Pouco importa se os dois não são exatamente parecidos.

Já o Ratomóvel é uma invenção do artista plástico Silvio Galvão. "Ele não tem nada que ver com o visual do Ratinho, porque teve de ser feito antes das animações. O Marcos ainda estava fechando o contrato", explica Galvão sobre a invenção, uma "fantasia" de rato cinza colocada sobre um carrinho de controle remoto. Para ajudar na tarefa de dizer que "banho é bom, banho é muito bom", o escolhido foi o músico Hélio Ziskind. "Era uma encomenda engraçada. Para mim, não fazia sentido fazer uma canção que mandasse a criança tomar banho."

Para resolver a questão, Ziskind tentou criar uma música que fosse como um brinquedo de plástico. Um patinho de borracha em forma de canção. Algo que pudesse ser levado pela criança para o banho, incentivando-a a passar o sabão nas partes do corpo. "Era um pouco como aquela frase clássica dos pais, 'Vê se não esquece de lavar atrás da orelha'", diz Ziskind. "Foi daí que comecei: testa, bochecha, queixo, nariz, pescoço, tórax..."

Espera aí, tórax? Que raio de palavra é essa numa música para criança?

"É, encanaram na Cultura com o tórax", lembra Ziskind. "Achei que precisava colocar. É bom que a criança precise perguntar para alguém alguma coisa que ela não entendeu." Não foi a única dificuldade do compositor: de repente, ele deparou com a necessidade de falar sobre o pênis e a vagina de cada criança. "Não estava na imagem, mas eu não podia pular!"

A primeira alternativa era usar a forma que aprendeu em casa: "pintinho" e "xoxotinha". A Cultura prontamente negou: cada família tem seus valores diferentes, e palavras assim podem soar ofensivas para alguns. Ziskind não se conformou em contornar o assunto. "Fiquei dias e dias mastigando, até que veio o estalo: é o fazedor de xixi!" O ápice da música, porém, ainda estava por vir: "O pé, meu querido pé, que me aguenta o dia inteiro", em uma interpretação que fez Ziskind se sentir na Era do Rádio, como um digno Orlando Silva cantando no chuveiro.

Já mais calma, depois de perceber que o Ratinho era inofensivo (e limpinho), Biba se junta a Pedro para procurar Zequinha. É quando um barulho estranho vem da sala da estar – mas ele pouco se parece com a voz estridente do amigo. Apreensivos, Biba e Pedro se aproximam da lareira e descobrem nela um boneco falando alemão. Era a estreia do quadro Marionetes, no qual bonecos aparecem na lareira da sala de música, conversam com o trio de crianças e ensinam a elas algumas palavras em sua língua, antes de fazer uma dança típica – no caso, uma bandinha alemã que parecia prontamente saída de uma Oktoberfest.

É só depois da dança que Zequinha reaparece, contando suas aventuras pelos encanamentos do castelo. Biba e Pedro não dão muito crédito à história que Zeca conta sobre o bicho peludo e sua gargalhada fatal. "É, agora só falta você dizer que viu um fantasma", caçoa Pedro, enquanto se senta na porta mágica do quarto de Nino e roda com Biba pela sala. Do outro lado... aparece de fato um fantasma, que faz o menino ficar de queixo caído. As duas crianças mais velhas fazem graça do menino, até que são elas próprias assustadas por um misterioso fantasma, que vem e vai pelo hall do castelo, abusando dos efeitos da incipiente computação gráfica da época. E, no mesmo tom de suspense que deu a tônica inicial do programa, o *Castelo Rá-Tim-Bum* segue para seu primeiro intervalo, após pouco mais de 16 minutos de ação ininterrupta. Ufa.

A pausa para o intervalo é providencial – ela ajuda a acalmar os ânimos não só de Pedro, Biba e Zequinha, mas também dos incautos pequenos telespectadores que acompanham o programa. "Coitadinhos, eles estão morrendo de medo!", comentam duas alegres fadas que aparecem na tela logo após o retorno do programa. Do tamanho de um polegar e com voz estridente, são as irmãs Lana e Lara. Com sua postura amistosa, quase angelical, as duas decidem intervir na situação – e explicar às crianças que aquele fantasma nada tinha de sobrenatural: era apenas Nino tentando se divertir à custa do medo dos outros.

Interpretadas por Fabiana Prado e Teresa Athayde, as irmãs são primas de Nino, e vivem em um colorido lustre no hall do castelo. Além de sua aparição no primeiro episódio, elas são as protagonistas de um dos quadros mais marcantes do *Castelo* – que simbolizava a ambição da Cultura de atingir não só as crianças de 4 a 10 anos de idade, mas também os mais novos, no melhor espírito "um por todos, todos por um".

A rotina das duas é discutir e pregar peças uma na outra. Para resolver as brigas, elas costumam propor enigmas para si mesmas e para o espectador, ensinando-o a comparar seres e objetos. Mais uma vez, quem criou o nome das personagens foi Flavio de Souza: Lana é uma referência à atriz Lana Turner, enquanto Lara é o nome da principal personagem feminina do filme *Doutor Jivago*, duas predileções do roteirista.

Os diálogos das duas fadinhas, no entanto, foram escritos por Claudia Dalla Verde. A direção ficou com Regina Rheda (*X-Tudo*). Já a voz fina foi ideia da atriz Fabiana Prado. "Sempre achei que uma fadinha tinha de falar com a voz assim", brinca a atriz[59]. O figurino das fadas também é especial. "Como são quadros para crianças bem pequenas, idealizei um figurino bem suave, bem gracioso, com tecidos iluminados e bijuterias de metal", conta Carlos Alberto Gardin, que teve os estilistas franceses Thierry Mugler e Paco Rabanne como referência. "Com aqueles babadinhos todos, elas ficam parecendo um bolo de noiva."

Lana e Lara trocam figurinhas com o trio de crianças e bolam com elas uma estratégia para que o feitiço vire contra o aprendiz de feiticeiro. Literalmente: ao reaparecer como fantasma para dar mais um susto no trio de crianças, Nino é surpreendido por Pedro, Biba e Zequinha – os três devidamente trajados com lençóis velhos cobrindo o corpo, como convém a bons fantasmas.

Nino não vê graça na piada e vai tirar satisfação com as crianças – e percebe que assustar não é exatamente a melhor receita para fazer amigos. "Bem, de qualquer maneira foi um prazer ter conhecido vocês. Tchau", diz Nino, que se retira cabisbaixo. É Pedro, no entanto, quem resolve o problema: chama o aprendiz de feiticeiro e se apresenta, como se nada houvesse acontecido. Nino fica tão feliz por finalmente ter amigos que acaba fazendo sua tia Morgana despertar de seu precioso sono da beleza.

Depois de uma providencial bronca em Nino, que roubou sua vassoura para compor sua fantasia de fantasma, Morgana faz as vezes de uma anfitriã de mão cheia, pedindo a Nino que apresente o castelo ao trio. Para as crianças, quase tudo normal – exceto o fato de que a tia de Nino talvez parecesse uma... bruxa? "Ela é", diz Nino, aos risos, em uma frase que denotava o esmero de Rosi Campos ao inverter o estereótipo normalmente associado a caldeirões, magia negra e fogueiras.

Segundo a atriz, o desenvolvimento da personagem foi natural. "Lembro que o Cao até me disse: 'Não precisa fazer voz de bruxa, faz a sua voz mesmo'. Apesar de ser uma bruxa, as crianças não podiam ter medo de mim", contou ela à revista *Crescer*, em julho de 2014.[60] Da mesma forma que muitos atores dizem preferir interpretar vilões, Rosi também acredita que "as bruxas são mais interessantes que as mocinhas".

O figurino ajudava na sensação de sisudez, em um visual cheio de camadas. Por cima de um vestido base, quase como uma camisola, Rosi usava uma veste e se cobria com uma roupa toda de renda, utilizada apenas em ocasiões especiais do programa. Além disso, Morgana tinha uma capa, um chapéu e uma coroa. "Eu achava ótimo: eu tinha essa cara de bruxa, mas com a Morgana eu ficava chique. Até hoje ela é um alter-ego meu", conta a atriz. Segundo documentos encontrados no arquivo da TV Cultura, planilhas de orçamento dos figurinos mostram que as roupas de Morgana custaram US$ 1.459 (em valores da época) – o equivalente a nada menos que 10% da verba destinada para a caracterização dos personagens do programa. Era o figurino mais caro do *Castelo*. Depois que Morgana sobe para retornar ao seu sono de beleza (e apresentar pela primeira vez o seu quadro), Nino começa a apresentar o castelo às crianças. Era uma introdução feita para qualquer criança perceber que, naquele castelo, nem tudo podia ser considerado "normal", mas era muito divertido.

Que tal uma cobra cor-de-rosa falante, Celeste, que faz o coração de Biba disparar, suscitando uma questão prontamente respondida pelos gêmeos Tíbio e Perônio? Uma biblioteca cheia de livros com um gato pintado, que também fala? Uma passagem secreta no meio de uma estante de livros? Ou banquinhos de cozinha que surgem direto do chão, prontos para acomodar as crianças para um lanche, em uma cortesia da inventiva equipe de cenografia do programa? Antes de comer, porém, o melhor a fazer é lavar as mãos. E que jeito melhor do que fazer isso brincando, quase como num trava-língua?

Era a deixa para o clipe "Lavar as Mãos", conduzido por canção de Arnaldo Antunes (aquela do refrão "lava uma/lava outra"). O vídeo mostra imagens de crianças lavando as mãos alegremente, como se a higiene também fizesse parte da brincadeira. Com direção de Eduardo "Xocante" de Barros, o quadro hoje chama a atenção por exibir crianças nuas sem pudores, de forma natural. Em entrevista ao jornalista do *O Estado de S. Paulo* Jotabê Medeiros em 1999, Antunes disse ter tido prazer ao criar a canção. "Acho que as coisas que eu faço, mesmo sem me dirigir ao público infantil, acabam sendo bem-vistas pelas crianças. A criança tem uma maneira inusitada de ver alguma coisa óbvia, que chega até a ser estranha, porque você nunca repara – de tão óbvia que é."[61]

Mãos limpas, lanche na mesa, Nino e as crianças fazem, entre mordidas e bocadas, o pacto que define o destino do Castelo:

— Vocês prometem que vão voltar para a gente brincar mais?

— Claro! — responde um Zequinha de boca cheia.

— Quando? Amanhã?

— Amanhã!

É a senha para que o Relógio dispare a avisar que o Dr. Victor está para chegar. Nino está ansioso para apresentar o inventor de todas as coisas que as crianças veem no castelo – como uma criança que está louca para que seus amigos conheçam o pai e a mãe.

Esse é um dos aspectos mais interessantes do feiticeiro de 3 mil anos: mesmo não sendo o pai de Nino, é uma figura masculina presente. "Uma das preocupações que tivemos na época era a de não mostrar uma família tradicional, com pai, mãe e irmã, porque queríamos contemplar crianças que tinham famílias diferentes e ao mesmo tempo ter a figura do adulto por perto", diz a diretora de programação infantil Bia Rosenberg.

Para Flavio de Souza, o conceito da árvore genealógica da família Stradivarius (o famoso *luthier* de violinos foi o escolhido para dar nome ao clã dos feiticeiros do *Castelo*) vem das histórias em quadrinhos. "Na Disney, não existem pais e mães", explica ele, fazendo referência ao Pato Donald e seus sobrinhos. Já para a pedagoga Zélia Cavalcanti, "a ausência de uma família nuclear torna mais ameno o ambiente das relações interpessoais, sem as fortes emoções das relações pai-filho e irmão-irmã".

Ao contrário do que é esperado, Dr. Victor não entra pela porta do *hall*, mas chega pelo ar, usando sua nova invenção do dia. É um bonecóptero – uma mistura de boné com helicóptero, movido a risadas. É hora de ir embora, mas ainda falta uma coisa: a bola de Zequinha, que está escondida dentro da Caixa Preta. É mais uma das engenhocas do Dr. Victor que mostra como figuras geométricas bidimensionais podem virar tridimensionais, e a partir daí se transformar em objetos comuns. Com animações de Flávio Del Carlo, "a intenção do quadro é mostrar que um triângulo pode se transformar num foguete, por exemplo",[62] seguindo a linha construtivista estabelecida pela professora Zélia Cavalcanti.

Finalmente com a bola na mão, as crianças vão embora. Antes que as portas se fechem, Dr. Victor – feliz porque finalmente Nino tinha alguns amigos – dá os parabéns ao sobrinho porque ele aprendeu "o truque da bola". É a deixa para que o próprio Nino "quebre" a quarta parede e se dirija ao telespectador, com direito a uma piscadela marota de cumplicidade:

— Meu tio Victor nem desconfia de todos os truques que eu já aprendi... Bom, então tchau! Tchau não, até amanhã!

11. Beatlemania na Faria Lima

Quem mora em São Paulo sabe como a cidade pode ficar com o congestionamento a qualquer hora do dia, nos momentos mais inesperados. Mas o congestionamento na avenida Brigadeiro Faria Lima, na zona Sul da cidade, em pleno sábado de manhã parecia demais até mesmo para o mais pessimista dos paulistanos. "Da janela do ônibus, tudo que eu conseguia ver de longe era uma fila imensa", diz a roteirista Claudia Dalla Verde. Ao chegar mais perto do Museu da Casa Brasileira, na região do Itaim, Claudia ouviu gritos de crianças e avistou uma multidão enorme, espalhada por quarteirões. "Era um pandemônio, uma gritaria, muita gente berrando", lembra a roteirista.

A culpa pelo caos todo era do lançamento dos dois primeiros livros da coleção *Castelo Rá-Tim-Bum*, em 24 de junho de 1995. Organizada pela Companhia das Letrinhas, que editou os volumes, a manhã de autógrafos dos livros foi anunciada com destaque em intervalos na programação da TV Cultura. "Na festa, vai ter pipoca e guaraná, a instalação do quarto da tia Morgana, exibição de vídeos do programa e, o mais atraente, a presença de personagens do *Castelo* e autores dos livros", antecipava reportagem da *Folha de S.Paulo* sobre o evento[63]. Além disso, havia ainda o belo jardim do Museu da Casa Brasileira e a maquete do castelo mostrada na telinha da TV.

O que ninguém imaginava era que a pequena celebração se transformaria em confusão.

Os primeiros sinais de que o sábado seria diferente do imaginado apareceram logo pela manhã, quando a equipe da Companhia das Letrinhas ainda montava o evento e os portões do Museu da Casa Brasileira estavam fechados. Ônibus e mais ônibus começaram a chegar em caravana, vindos do interior de São Paulo. "Chegou uma hora que a Faria Lima ficou congestionada com tantos automóveis", lembra Lilia Schwarcz, editora responsável pela Companhia das Letrinhas. Em pouco tempo, a fila dava voltas no quarteirão, e até mesmo editores e funcionários da Companhia não conseguiam entrar no evento. A confusão começou quando pais com crianças de colo começaram a pressionar os portões do Museu da Casa Brasileira, ainda fechados, para entrar na festa a qualquer custo.

Para evitar que a porta de entrada do museu fosse destruída, funcionários da editora se juntaram a Lilia e a seu marido, Luiz Schwarcz, fundador da Companhia das Letras, em um cordão de isolamento. Era o que dava para fazer na hora: nenhum sistema de segurança especial foi elaborado pela editora ou pela Cultura. "A gente tinha experiência em eventos lotados, mas todos muito bem organizados e tranquilos", recorda-se Luiz. "Lembro-me apenas de gritar pedindo pela segurança das crianças." Alguns pais, tão obcecados em realizar o sonho dos filhos, chegaram a prensá-los ou atirá-los por cima do portão para tentar entrar na festa. Em desespero, o ator Fredy Állan começou a chorar – e teve de ser pego no colo por Luiz para se refugiar da massa ensandecida no museu. "A gente teve de sair escondido de lá, em um ônibus", lembra a atriz Cinthya Rachel. "Alguém descobriu que a gente estava no ônibus e as pessoas começaram a tentar jogar as crianças para dentro dele. Chorei de medo." Não foi só ela: em um texto contando como foi aquele dia em seu blogue na Companhia das Letras, Luiz Schwarcz diz que não lembra se chorou de nervoso no museu ou se segurou as lágrimas até conseguir chegar em casa.[64]

O final do evento estava marcado para as 14 horas, mas, dada a demanda do público, tudo só se encerrou por volta das 19 horas. A estimativa oficial é de que cerca de 15 mil pessoas tenham passado pelo Museu da Casa Brasileira naquele dia. O sábado deixou marcas: durante muito tempo, a Companhia das Letrinhas deixou de fazer eventos para não correr o risco de expor as crianças a incidentes assim. Para pedir desculpas, a editora chegou a mandar marcadores de páginas personalizados para muitos dos presentes naquela tarde. "A gente não imaginava que o público tinha todo esse apego pelo *Castelo*. Foi um dia de Beatlemania", lembra Lilia.

Para muitos dos envolvidos no *Castelo Rá-Tim-Bum,* a manhã de autógrafos se tornou um símbolo de sua popularidade. Ali houve a primeira confirmação em larga escala de que o *Castelo* era um sucesso. "A gente até imaginava que ia ter bastante gente, umas 500 crianças", diz Pascoal da Conceição. "Mas fila em volta do quarteirão [era algo que] a gente não entendia." Apesar de ter sido convidada para a festa, Claudia Dalla Verde preferiu ficar de fora – ela nem chegou a descer do ônibus. "Indo embora, percebi que o *Castelo* tinha se tornado algo grande." A roteirista não foi a única pessoa da equipe atrapalhada pelo trânsito: Henrique Stroeter, o Perônio, estava indo gravar um comercial e ficou horas parado no congestionamento.

Naquela manhã de sábado, a coleção ganhou seus dois primeiros títulos: *O Álbum do Nino*, escrito por Flavio de Souza, e *O Diário de Bordo do Etevaldo*, de Anna Muylaert. Ao todo, foram 12 volumes, com ilustrações da dupla Girotto e Fernandes. Cada livro tinha 96 páginas, em tiragem inicial de 15 mil exemplares, e custava R$ 17,50 na época do lançamento, em junho de 1995[65]. A coleção foi uma das primeiras empreitadas da Companhia das Letrinhas – fundada em 1992, a editora dava ainda seus primeiros passos na época. Um contato de Cao Hamburger na Companhia das Letras foi quem começou as negociações para a série de livros, escritos por ele, Anna Muylaert e Flavio de Souza.

"Os livros tinham histórias novas com os personagens. Eles não podiam ser dependentes do programa, mas precisavam funcionar em si mesmos", explica Lilia, responsável pela coleção. O livro de Etevaldo, por exemplo, traz conhecimentos sobre astronomia, enquanto *As Reportagens da Penélope*, de Anna Muylaert, tem dicas sobre jornalismo e as primeiras matérias da repórter cor-de-rosa, além de uma entrevista exclusiva com a mãe do Nino.

Inicialmente, a coleção estava prevista para ser lançada entre 1995 e 1996. Havia, inclusive, o patrocínio do Grupo Votorantim, na época comandado pelo empresário Antônio Ermírio de Moraes. No entanto, por conta de prazos e organização dos próprios autores, a versão em livro do *Castelo* só foi encerrada em 1999. E com um gosto amargo: em reportagens na época do lançamento e até em entrevistas dentro da própria Cultura, mencionava-se o plano de um *Livro de Ouro do Castelo Rá-Tim-Bum*, "com capa dura e mais caro". "Queremos que seja uma edição de luxo, para dar de presente de Natal. Além de falar dos personagens, também vai trazer histórias dos quadros", disse Anna Muylaert, durante edição do *Metrópolis* sobre a coleção de livros. O volume especial, porém, nunca chegou a ver a luz do dia. "Quando finalmente conseguimos lançar todos os livros, a parceria que formou o *Castelo* já estava muito atrapalhada. No fim das contas, não quisemos lançar nenhum livro que não tivesse a participação da Anna, do Flavio e do Cao", explica Lilia Schwarcz. "Sem eles, não ia ser um livro de ouro."

Para Anna Muylaert, além da popularidade, a coleção de livros também foi um alívio financeiro. "Com os livros, fiquei um ano em casa recebendo mais com direitos autorais do que eu ganhava trabalhando na TV Cultura", lembra a roteirista, que passou aquele período cuidando de seu filho José. Em reportagem publicada em abril de 2000, a *Veja São Paulo* deu mostras do sucesso da coleção: *O Álbum do Nino*, por exemplo, vendera 55 mil exemplares até aquele momento[66]. Hoje, a coleção de livros está esgotada – no aniversário de 20 anos do programa, a Companhia das Letrinhas cogitou uma reedição, mas o projeto não foi para a frente.

O leitor mais atento pode perceber que mais de um ano separa a estreia do *Castelo*, em maio de 1994, da manhã de autógrafos no Museu da Casa Brasileira. Ao contrário do que se pensa, o programa demorou algum tempo para se tornar um sucesso popular. "É difícil fazer um estouro logo de cara em televisão: não é no dia seguinte que você descobre que foi um sucesso", justifica Anna Muylaert.

Para boa parte da equipe de 250 pessoas, a estreia foi como um parto. "Todo mundo parou o que estava fazendo e foi correndo para casa ou ficou no estúdio para assistir", recorda-se o bonequeiro Fernando Gomes. "Lembro-me de assistir ao programa direto da ilha de edição, porque o trabalho não podia parar", comenta Regina Soler, assistente de direção do *Castelo*. Nem todo mundo se entusiasmou com a estreia – caso do ator Luciano Amaral, que ainda estava gravando alguns episódios no estúdio. "A gente ficou meio chocado: era um projeto tão diferente que a gente estranhou no começo", conta o intérprete de Pedro.

Amaral talvez fosse pequeno demais para a festa, mas, após a estreia, a equipe do *Castelo* se reuniu no Kuru Kuru Sushi & Pasta, restaurante cujo cardápio misturava culinária italiana e japonesa. Recém-aberto, o estabelecimento recebeu na época uma crítica morna de Josimar Melo, crítico gastronômico da *Folha de S.Paulo*. "A casa ousa na combinação de pratos japoneses e italianos, mas ainda falha na cozinha", dizia o texto publicado em 1º de abril de 1994[67]. A festa começou às 20 horas, logo depois do final do episódio de estreia do *Castelo*, e foi até altas horas: "Saí da confraternização junto com o [Wagner] Bello naquele dia. Passamos em uma banca e compramos o jornal daquele dia, com o anúncio da estreia do *Castelo*", lembra a atriz Fabiana Prado, a fadinha Lana[68].

Em termos de audiência, o *Castelo* até começou melhor que seus antecessores *Mundo da Lua* e *Rá-Tim-Bum*: na primeira semana, fez 8 pontos no Ibope, e ajudou a Cultura a tomar o terceiro lugar da TV Bandeirantes na preferência dos espectadores[69]. O feito, porém, não era suficiente para superar a audiência que *Mundo da Lua* teve ao ser transferido para o meio de semana, quando atingiu dois dígitos no índice que mede a audiência dos programas televisivos nos domicílios da Grande São Paulo. Em seus três primeiros meses de exibição, o *Castelo* manteve a média de 6 a 8 pontos de audiência, com 250 mil domicílios cativos todas as noites.[70] "O que aconteceu é que o programa teve uma repercussão absurda com o decorrer do tempo", lembra Anna Muylaert.

É verdade. Ao observar a cobertura da imprensa para o lançamento do programa, tinha-se a impressão de que seriam necessários novos adjetivos positivos para demonstrar o entusiasmo da crítica com o

Castelo. Um dia antes da estreia, Annette Schwartsman, na *Folha de S.Paulo*, por exemplo, escreveu que "quem achava que a qualidade dos programas infantis da TV Cultura era insuperável se enganou. O novo *Castelo Rá-Tim-Bum* é melhor que seus congêneres"[71]. A reportagem ainda destacou uma bravata do presidente Roberto Muylaert, que dizia para quem quisesse ouvir que, "se o *Castelo Rá-Tim-Bum* fosse produzido nos EUA, por exemplo, seu custo dobraria". Na edição do dia seguinte, a Cultura inseriu ainda no caderno *Ilustrada* um anúncio de página inteira propagando o início do *Castelo*, destacando os principais personagens e o apoio da Fiesp.

Na *Veja* daquela semana, em matéria intitulada "Pelo QI infantil", Neuza Sanches deu um aviso: "Os pais que se alegravam quando seus filhos se deslumbravam com o excelente *Rá-Tim-Bum*, criado há quatro anos, irão surpreender-se". O texto ainda ressaltava que o programa "tem linguagem de cinema, um elenco de atores de primeira, cenário espetacular e trilha sonora bem-feita", e dizia que "as histórias – boas – têm começo, meio e fim, para que ninguém faça um escarcéu porque perdeu a sequência da trama do dia anterior". Em seu parágrafo final, Sanches comparou o *Castelo* a um clássico da TV para crianças. "Traz à lembrança grandes tentativas de inovar a linguagem dos programas infantis, como o seriado *Vila Sésamo*, adaptação brasileira do americano *Sesame Street*".[72]

Já no *Jornal da Tarde*, Regina Ricca comentava que *Castelo* "é um programa do tipo exportação, para matar de inveja profissionais de tevê americanos ou europeus", e atribuía seu sucesso à dupla de experientes roteiristas Flavio de Souza e Tacus, e também à direção de "um profissional que soube costurar as linguagens de cinema e televisão com maestria: Cao Hamburger"[73]. Irmão mais velho do *JT* no Grupo Estado, *O Estado de S. Paulo* destacava em texto de Juliana Resende que o *Castelo* "promete ser a coqueluche criativa da televisão brasileira".[74]

A boa repercussão na crítica local acabaria sendo confirmada pelos prêmios que o *Castelo* venceu. Além da vitória como melhor programa infantil na Associação Paulista dos Críticos de Arte (APCA), um costume para a TV Cultura, o projeto ainda foi medalha de prata no

Festival de TV de Nova York (o mesmo em que *Rá-Tim-Bum* foi ouro) e foi lembrado no Prix Jeunesse, referência para televisão infantil. Ao longo do tempo, a audiência também foi mantida – e, com a repercussão, até ampliada: em julho de 1996, por exemplo, o programa atingiu a marca histórica de 12 pontos no Ibope, alcançando mais de 800 mil espectadores a cada programa na Grande São Paulo[75].

Parte de seu sucesso se deve também ao pensamento de Beth Carmona ao construir a grade de programação da TV Cultura. "Quando o *Castelo* estreou, ele já tinha uma cama muito bem arrumada", explica ela. "Sozinho, o programa não faria verão", aposta Bia Rosenberg. Quando estreou, o *Castelo* era antecedido por pelo menos três horas ininterruptas de programas infantis, como *Glub Glub*, *X-Tudo* e *O Professor*, captando a audiência das crianças que estudavam de manhã ou no período vespertino. Em 1994, quando o capítulo do dia do *Castelo* acabava, a programação infantil da emissora ainda continuava por mais uma hora, com os importados *As Aventuras de Tintim* e *Anos Incríveis*. Ao final de tudo, uma vinheta simpática com uma menina chamada Rita – criada pelo animador Kiko Mistrorigo – mandava as crianças para a cama, para tudo começar outra vez no dia seguinte – em grade que tinha, inclusive, duas reprises do *Castelo*: uma às 10h e a outra às 15h30.

Embora o *Castelo* tenha estreado em maio de 1994, as gravações se estenderam até 15 de outubro, graças aos 20 episódios extras que o programa ganhou ao longo do caminho. Ao contrário dos primeiros 70 capítulos, porém, os novos episódios foram exibidos aleatoriamente em meio a reprises, uma vez que a primeira fornada de programas só "durou" até 15 de agosto de 1994. Assim, não há registros de quando o episódio 90, "O dono do Castelo", foi de fato exibido pela primeira vez.

É um episódio bastante curioso. "O dono do Castelo" começa sombrio, com o Dr. Victor fazendo um comunicado a todos os moradores do castelo: ele recebeu uma carta da prefeitura, cobrando impostos pela construção. O valor da cobrança é tão alto que a única saída para a família Stradivarius é vender o lugar para o Dr. Abobrinha e se mudar para um apartamento – os bichos, como a Celeste e o Gato Pintado, além das muitas traquitanas e invenções do Dr. Victor, porém, vão precisar achar um lugar para onde ir. É um raro momento do *Castelo* em que há uma crítica política, velada, à especulação imobiliária que, duas décadas depois, continua afetando São Paulo.

Aos poucos, as crianças e os convidados principais aparecem no episódio para se despedir e lembrar os bons momentos – Bongô, por exemplo, traz "uma última pizza" para o castelo. Outro detalhe que deixa o episódio ainda mais soturno é a ausência de trilha sonora de fundo, deixando os diálogos secos, sem a aura de felicidade costumeira de um episódio do programa.

No final, comovido com a situação (e chateado por não participar da festa de despedida), o Dr. Abobrinha revela que tudo não passava de um de seus planos mirabolantes. Ao pedir desculpas, o Dr. Pompeu Pompílio Pomposo é aceito como um dos amigos do *Castelo*, bexigas caem do céu e tudo parece uma grande festa. A última cena, porém, mostra Abobrinha dizendo que "esse castelo ainda vai ser meu", deixando um clima de suspense no ar, como se as aventuras do programa pudessem continuar para sempre.

Antes do fim das gravações, porém, a equipe do *Castelo* teve de lidar com uma notícia trágica: a morte do ator Wagner Bello, o único que não pôde sentir o sucesso de seu personagem. Em agosto de 1994, já na reta final do programa, Bello foi internado no hospital Emílio Ribas e morreu no dia 12 daquele mês por insuficiência respiratória, uma complicação da aids. "Fui pego de surpresa pela notícia da morte dele. Recebi um recado da produção do programa para reescrever seu último episódio, citando o Etevaldo apenas através [sic] de um bilhete mandado por ele. Me disseram que o ator não poderia aparecer", contou Flavio de Souza à *Folha da Tarde* – a edição vespertina da *Folha de S.Paulo* – na época.

Quem se lembra bem daqueles dias é o ator Henrique Stroeter, que fazia o Perônio. "Um dia, passei no estúdio e acompanhei a gravação daquele episódio em que o Etevaldo levava as crianças para o fundo do mar." No meio da gravação, Bello passou mal e acabou indo para o hospital. "Em 15 dias, ele morreu", conta o ator. "Foi uma pena, porque ele era um cara muito discreto, que tinha batalhado muito no teatro e não teve como curtir o barato de acontecer na arte paulistana."[76]

Coube à atriz Siomara Schröeder, amiga pessoal de Bello, substituir o ator no último dos capítulos que deveriam ter a presença de Etevaldo, fazendo o papel de uma irmã do personagem, Etcetera. "Foi algo muito forte para mim, mas foi uma honra terminar a história dele", disse ela ao *site* da revista *Quem*, em 2014.[77] Durante o episódio, em um dos diálogos mais singelos escritos por Flavio de Souza, Etcetera explicou às crianças que tinha vindo no lugar de Etevaldo porque ele estava "brincando nas estrelas".

Ao final das gravações, não era só o grupo de atores que encerrava um projeto, mas toda uma emissora. Em determinado momento antes da estreia, uma ordem velada na Água Branca era a proibição de lançar qualquer ideia de programa novo na Cultura, pois os recursos da emissora estavam totalmente voltados para o mundo mágico de Nino e seus amigos.

"Eu chegava à Cultura às 8 da manhã e ia embora à meia-noite, quando a gente fechava as ilhas de edição. Mas ia embora feliz da vida", lembra Regina Soler. "Todo mundo trabalhava muito, ficando horas além do que deveria, mas com sorriso, porque todo mundo queria que a coisa ficasse perfeita", diz. No último dia de gravações, o clima era de despedida, mas sem choradeira. "Pelo contrário: todo mundo ali estava feliz por ter realizado aquele projeto", conta Patricia Gasppar. "A gente estava vacinado que ia ter fim", lembra o bonequeiro Fernando Gomes.

Antes de tudo acabar, porém, alguns atores ainda tiveram o gostinho especial de dar um último adeus ao *Castelo* – isso porque o programa também deu motivo ao especial de Natal da Cultura de 1994. Intitulado *Hora de Dormir*, o especial de 55 minutos conta a história do garoto Daniel (Fernando Pimentel), um menino insone que é fã do *Castelo*. Pela televisão, Daniel é convidado por Nino para entrar no programa em uma noite na qual o aprendiz de feiticeiro também não consegue dormir. No meio da confusão, a Bela Adormecida (interpretada pela atriz Iara Jamra, a Nina de *Rá-Tim-Bum*) e a bruxa má (Grace Gianoukas, a mãe do *Rá-Tim-Bum*) aparecem no meio do episódio. Há ainda um príncipe encantado, interpretado pelo ator Henrique Stroeter.

"Um dia me ligaram da Cultura e disseram que tinham um episódio para gravar no papel de um príncipe. Perguntei quem ia ser a rainha. A Iara Jamra. Não podia ser melhor", lembra o ator. "Foi muito divertido, especialmente porque, quando eu fiz o Príncipe, o *Castelo* já começava a ter um reconhecimento legal." O próprio episódio brinca com essa metalinguagem entre ficção e realidade: a certa altura da trama, Daniel pede a Nino para conhecer Celeste. Ao ser apresentado à cobra, o garoto diz: "Todo mundo na escola adora você!"

Quem também dá as caras no episódio especial é o ator e DJ Theo Werneck, que manipulava a bota Tap durante a série – em *Hora de Dormir*, Werneck faz Arnaldo, o pai do garoto Daniel. Outra curiosidade é que, nesse episódio específico, é o bonequeiro Fernando Gomes – e não seu companheiro Luciano Ottani – que dá vida à gralha Adelaide.

Há ainda em *Hora de Dormir* duas referências muito interessantes à história da TV. No início da história, Daniel assiste a um episódio do *Castelo* no qual Nino dá "boa noite" a todos os bonecos, em uma citação direta da série *Os Waltons*, popular nos anos 1970. Pouco depois, ao tentar fazer o garoto dormir, Werneck canta o *jingle* dos Cobertores Parahyba – "Já é hora de dormir/não espere mamãe mandar" –, hit da TV nos anos 1960 e inspiração principal para a Rita de Kiko Mistrorigo.

Realizada na segunda quinzena de novembro, a gravação do especial foi bastante arrastada. Dessa vez, a culpa não foi do perfeccionismo de Cao Hamburger, mas da inexperiência do ator mirim Fernando Pimentel, que só havia participado de comerciais até então. "Foi muito bom, mas vamos só mais uma vez. Tenta falar um pouco mais natural, tá?", dizia a toda hora o diretor, enquanto mascava um chiclete fervorosamente.[78]

Com roteiro de Flavio de Souza e direção-geral de Cao Hamburger, o episódio não tem a participação do trio de crianças Zeca, Pedro e Biba. Ao todo, *Hora de Dormir* custou US$ 15 mil – a maior parte da verba foi gasta com pagamento dos atores, segundo orçamento disponível no acervo da TV Cultura. Cassio Scapin, por exemplo, recebeu US$ 1,8 mil por seis diárias de gravação, enquanto o autor Flavio de Souza ganhou US$ 600 pelo roteiro do especial. Depois de ser exibido no Natal de 1994 e no Dia das Crianças de 1995, o episódio nunca mais foi ao ar na TV e passou para a história como o "episódio perdido" do *Castelo Rá-Tim-Bum*. Hoje, porém, é possível encontrá-lo no YouTube.

Em 1995, não foram só os livros que levaram a marca do *Castelo Rá-Tim-Bum* além da TV. O programa também virou CD de música, com sua trilha sonora e canções livremente inspiradas em seus personagens. "Eu tinha feito os temas para a série, e aí o Fernando Salem, que também tinha participado do *Castelo*, escreveu letras em cima dessas músicas, transformando-as em canções", conta o músico Luiz Macedo. O tema de Nino, por exemplo, um dos mais presentes nos episódios do programa, virou a música "Zeca, Nino, Pedro e Biba". Além de Macedo, a dupla André Abujamra e Maurício Pereira também trabalhou em canções à parte, perfilando personagens para músicas como "Mau" e "Celeste, a Cobra".

Convidados especiais participam do disco: é o caso da dupla caipira Pena Branca & Xavantinho, responsável pela moda de viola "Caipora", ou do vocalista do Ultraje a Rigor, Roger, que cantou o rock da jornalista "Penélope". A diversidade de estilos presentes na trilha do programa, como se pode perceber, foi preservada. "Usar só um gênero ou linguagem seria limitante para o *Castelo*: enriquece muito poder fazer pop, música de orquestra, sertanejo e rock no mesmo programa", avalia Macedo. Além das novas canções, entraram ainda no projeto alguns dos principais temas de quadros do *Castelo*, como "Lavar as Mãos", "Que Som é Esse?" e duas versões diferentes do Ratinho de Hélio Ziskind – tomando banho e escovando os dentes.

Produzido por Macedo em seu estúdio, o disco chegou ao mercado em 1995 pela gravadora Velas e vendeu cerca de 10 mil cópias até abril de 2000[79]. O álbum ajudou ainda a impulsionar as carreiras de Macedo e Ziskind: do primeiro, como produtor de *jingles* no mercado publicitário; do segundo, como cantor e compositor dedicado a falar com as crianças.

Dois anos depois, Ziskind lançou seu primeiro disco solo: *Meu Pé, Meu Querido Pé*, reunindo canções feitas para os programas da Cultura. Além dos temas do *Castelo*, do futuro *Cocoricó* e do *Glub Glub*, o disco reúne canções de especiais como "Um Banho de Aventura", "Tu Tu Tu Tupi" e "Marchinha da Sereia" (estas duas últimas feitas para o *Cocoricó*), e composições paralelas de Ziskind, como "Saquinho Plástico". "Dentro da TV, foi se consolidando a ideia de que eu era um criador pela primeira vez", conta o compositor. "Senti necessidade de reunir minhas coisas em um lugar só. Deu muito certo, e o disco vende até hoje." Mais do que apenas lançar o próprio Ziskind, o disco também abriu espaço no mercado musical brasileiro para grupos infantis de qualidade, como o Palavra Cantada, de seu ex-colega de Rumo, Paulo Tatit, com a musicista Sandra Peres.

E, se assistir às aventuras do *Castelo* na televisão não era suficiente, que tal viver uma delas? Essa era a ideia por trás do *game Castelo Rá-Tim-Bum – O Jogo,* lançado pela Tec Toy, empresa que representava na época a japonesa Sega no Brasil. O *game* fez companhia para outros títulos "brasileiros" da Tec Toy no já ultrapassado Master System – lançado no Japão em 1985, o videogame chegou ao Brasil em 1989. Na época em que o jogo do *Castelo* foi lançado, porém, a Sega já havia lançado duas novas gerações de consoles – o Mega Drive, em 1988 (1990, no Brasil), e o Sega Saturn, em 1994 (1995, no Brasil). O que não era exatamente um problema: em temporadas anteriores, a Tec Toy já havia criado jogos para a Turma da Mônica, o Chapolin Colorado e o Sítio do Picapau Amarelo, conquistando algum sucesso no mercado. "Nós apresentamos a ideia para a Cultura e ela foi aprovada logo de cara", lembra Stefano Arnhold, presidente da Tec Toy na época.

A história do *game* do *Castelo* é bastante simples e remonta a um dos episódios do programa, "Sua majestade, o bebê". Depois de chegar ao castelo para mais um dia de aventuras, Zequinha toma uma poção que o fez voltar a ser bebê. Para resolver o problema, o jogador, no papel de Biba ou Pedro, deve ir atrás dos ingredientes para fazer outra poção, capaz de fazer o menino que perguntava "por quê?" voltar a ser criança. Para isso, o jogador deve visitar ambientes conhecidos do *Castelo Rá-Tim-Bum*, como a cozinha cheia de gavetas e o laboratório dos irmãos Tíbio e Perônio, em uma aventura curta, que pode ser superada facilmente em um par de horas.

Para os olhos de hoje, e até mesmo se comparado aos jogos produzidos na época, o aspecto visual e a jogabilidade de *Castelo Rá-Tim-Bum – O Jogo* são um tanto rudimentares. Alguns comandos do jogo são "travados", e o jogo tem um roteiro bastante simplório. No entanto, há forte identificação com o programa. Em uma de suas cenas mais marcantes, o jogo mostra até o Porteiro, dizendo "Klift, kloft, still, a porta se abriu".

O *game* revela ainda o caráter pioneiro da Tec Toy no país. "Era tudo bastante artesanal", lembra Mauricio Guerta, um dos programadores responsáveis pelo jogo, cujos códigos e gráficos foram totalmente produzidos pela empresa nacional. "Na verdade, o jogo do *Castelo* ficou bem ruim", admite Guerta. Vendido por R$ 40 no lançamento, o jogo era mais barato que a média dos *games* da época, que custavam entre R$ 60 e R$ 70. No entanto, ainda era pouco acessível para boa parte da população – na época, o salário mínimo no Brasil era de R$ 120.

Apesar de ter tido vendas razoáveis, o jogo do *Castelo* acabou se tornando uma raridade entre os fãs de *games*. Entre eles, Luciano Amaral, que desde 2002 trabalha como jornalista e apresentador de televisão em programas sobre o universo dos jogos eletrônicos. "Nunca consegui jogar", diz Luciano. Na internet, é possível encontrar anúncios de colecionadores vendendo o cartucho original por preços que variam entre R$ 120 e R$ 200.

Livros, CDs e *games* foram desdobramentos interessantes do *Castelo*, mas nenhum deles chegou a ser tão popular quanto o espetáculo teatral *Onde Está o Nino?*, realizado em 1997 pelos principais atores do programa de TV. Com texto de Flavio de Souza e direção de sua esposa, Mira Haar, a peça levou ao Teatro da Pontifícia Universidade Católica de São Paulo (Tuca) mais de 200 mil espectadores durante sua temporada paulistana. Além disso, o espetáculo também excursionou pelo país e seu sucesso deu impulso a uma dezena de versões teatrais do *Castelo* – em 2017, por exemplo, Cassio Scapin, do alto de seus 52 anos, voltou ao papel de Nino na peça *Admirável Nino Novo*.

Só nos primeiros cinco meses de exibição, 60 mil pessoas assistiram a *Onde Está o Nino?*, com arrecadação de R$ 1,2 milhão. As entradas, vendidas a R$ 20, eram disputadas a tapa. "Para conseguir os ingressos, só comprando com três semanas de antecedência", avisava uma reportagem da *Istoé* na época[80]. A produção era elaborada: ao custo de R$ 400 mil e com a participação de Cassio Scapin, Cinthya Rachel, Luciano Amaral, Fredy Állan e Patricia Gasppar, *Onde Está o Nino?* tinha duração de 75 minutos e incluía uma cena caprichada na qual, por meio de truques de ilusionismo, Zequinha levitava como se estivesse enfeitiçado por Nino.

A rotina de apresentações era intensa. "Durante a semana, nós fazíamos de duas a três sessões para escolas, diariamente", lembra Luciano Amaral. "No final de semana, eram duas sessões no sábado e duas no domingo." O que cansava mais o ator, no entanto, era o pós-espetáculo. "Entre o intervalo de cada peça, nós atendíamos ao público. Se cada sessão tinha 700 pessoas, pelo menos 200 vinham falar com a gente depois." Se o *Castelo* de fato pode ser comparado à Beatlemania, a manhã de autógrafos no Museu da Casa Brasileira era o equivalente tupiniquim à apresentação dos quatro garotos de Liverpool no *The Ed Sullivan Show* em 1964 – quando os Beatles estouraram nos Estados Unidos. Já a peça de teatro era a versão brasileira (sem Herbert Richers) do frenesi que os Fab Four causaram na terra do Tio Sam em suas apresentações ao longo dos dois anos seguintes.

"Era *rock 'n' roll*", diz Patricia Gasppar, que, por interpretar uma personagem toda maquiada, costumava passar incólume pelos pequeninos fãs. "Eu sempre saía do camarim junto com todo mundo, e as crianças nunca sabiam quem eu era. Eu começava a ir embora e, antes de sair do teatro, gritava: 'Caracatau!' Pronto: aí ninguém me soltava mais", conta ela. Alguns episódios delicados também aconteceram no contato com os fãs. Um dia, o elenco fez uma sessão especial para crianças com câncer. Ao final do espetáculo, um menino já em estado terminal foi conversar com Cassio Scapin no camarim:

— Você faz mágica, né, Nino?

— Faço...

— Você não pode fazer uma mágica para eu ficar bom? — perguntou o garoto.

"Foi de quebrar as pernas", lembra Scapin.[81] O intérprete de Nino vivia tenso ao entrar no palco – especialmente na fase em que a peça rodou o país. Nem sempre os lugares que recebiam o espetáculo tinham a infraestrutura necessária. "Era um grau de tensão tão forte que quando acabava a peça eu ia para o banheiro vomitar", diz. "A gente sempre rezava para não acontecer nada de errado."

Apesar de os direitos do *Castelo Rá-Tim-Bum* pertencerem à TV Cultura, a peça foi uma das poucas maneiras de os principais envolvidos na produção do programa conseguirem realmente ganhar dinheiro. Em perfil sobre o ator Cassio Scapin, destaque máximo de *Onde Está o Nino?*, a revista *Veja São Paulo* ressaltava o faturamento do ator no programa e na ribalta. "Enquanto esteve na Cultura, Scapin ganhava cerca de R$ 1,1 mil por mês. Hoje, o Nino lhe rende 6% do faturamento bruto da bilheteria, o que garante a ele mensalmente algo acima dos R$ 15 mil, apenas com teatro."[82]

A peça também foi apreciada pela crítica: na *Veja*, o crítico Okky de Souza chamou *Onde Está o Nino?* de "triunfo absoluto, como diversão e como veículo de instrução"[83]. No mesmo texto, porém, Souza comentava que a parceria de sucesso entre Flavio e Cao Hamburger fora desfeita e avisava que o diretor procurava investidores para realizar um filme do *Castelo*.

Durante muito tempo, o rompimento criativo de Cao e Flavio foi um tabu entre os principais envolvidos no *Castelo*. Boatos dão conta de que a relação profissional teria azedado o lado pessoal, com farpas para ambos os lados. Amigos e parceiros de trabalho dos dois contemporizam o assunto. "O Cao é Sol e o Flavio é Lua. O Cao se expõe de uma maneira discreta, mas se expõe. Já o Flavio é um cara tímido: não menos criador, nem menos gênio, mas há algo nessa questão que é sobre exposição midiática", avalia Patricia Gasppar. Para Philippe Barcinski, há um conflito de personalidades entre os dois – enquanto Flavio produz muito rápido, com profusão de ideias, Cao é o oposto. "Ele retrabalha, refaz e repensa uma ideia até o momento final de entregar um projeto", conta.

Duas décadas depois, e com as feridas fechadas, Cao e Flavio divergem sobre a sua relação. "Nós não somos amigos, nunca fomos. Mas fomos parceiros com uma química de criação muito fácil em dois ótimos projetos, o que é raro", avalia o diretor. Já Flavio pinta a história com cores mais quentes. "Não nos conhecíamos e, trabalhando, ficamos superamigos. Quando eu fui fazer a peça e ele fez o filme, nós nos desentendemos", conta o roteirista. "Foi uma briga de amigo: eu falei coisas para ele que achei que precisava dizer, justamente porque éramos muito amigos."

"Cao tem uma personalidade forte, e com essas coisas que eu falei a gente se desentendeu. Durante um tempo, eu evitei falar mal dele, mas nós nunca fomos inimigos. Só deixamos de ser amigos e de trabalhar juntos", explica Flavio. Para ele, o cerne do desentendimento foi o filme que Cao queria produzir com base na história do *Castelo*. "Fiz três roteiros para o filme de graça, sem cobrar nada, mas o Cao não ficou satisfeito. Depois de ver meu trabalho no lixo, acabamos brigando", justifica o autor.

Os desentendimentos com Flavio de Souza foram apenas umas das razões para que Cao Hamburger demorasse a fazer seu tão sonhado filme do *Castelo Rá-Tim-Bum*.

As especulações começaram ainda em 1995: em matéria na *Folha de S.Paulo*,[84] o repórter Armando Antenore escreveu que o longa--metragem custaria aproximadamente US$ 1 milhão e seria uma parceria entre Cao e a Cultura. A trama giraria em torno da demolição do Castelo pelo Dr. Abobrinha e o título, na época, era *Raios e Trovões*.

Com o tempo, a parceria entre Cao e Cultura deixaria de ser citada em reportagens sobre o filme – a emissora daria seu aval apenas para o uso da marca e de personagens. Além disso, era preciso conseguir financiamento e definir quem da equipe original estaria no longa--metragem. Na imprensa, várias matérias davam conta de que Cassio Scapin seria o protagonista – o que parecia ser um ingrediente imprescindível para o sucesso da produção.

Não foi: em *Castelo Rá-Tim-Bum: o Filme*, que chegou aos cinemas no último dia de 1999, o aprendiz de feiticeiro de 300 anos foi interpretado por uma criança, o ator mirim Diegho Kozievitch, na época com 9 anos de idade. "No cinema, seria necessário usar muita maquiagem para que um adulto convencesse fazendo papel de criança", justifica o diretor. "A decisão de usar uma criança não foi só minha, mas de toda a equipe."

O fato de Nino ser uma criança, porém, foi uma das menores alterações promovidas por Cao e seus companheiros na produção. No lugar do castelo mágico e luminoso da série de TV, o longa-metragem traz uma mansão sombria, cheia de encanamentos e passagens secretas escuras, aproximando o universo de Nino do diretor americano Tim Burton (*Edward Mãos de Tesoura*, *O Estranho Mundo de Jack*). A mudança não é à toa: no programa da Cultura, não havia um diretor de arte específico, mas uma união entre o departamento de Figurino, Cenografia e Efeitos Especiais. Já no longa-metragem, Clóvis Bueno e Vera Hamburger (irmã do diretor) ocuparam esse cargo. Outro velho conhecido de Cao que aparece na ficha técnica de *Castelo* é o montador Michael Ruman. Nos anos 1980, Ruman foi quem arregimentou Cao para seu curta-metragem em *stop motion Bammersach*, apresentando o diretor à técnica de animação com massinha e à parceira Eliana Fonseca.

"As cores do filme não mostram a vivacidade que o *Castelo* da TV tinha", opina o figurinista Carlos Alberto Gardin, que não participou da produção. Poucos atores também voltaram a seus papéis: apenas Dr. Victor (Sérgio Mamberti), Morgana (Rosi Campos) e Dr. Abobrinha (Pascoal da Conceição) permaneceram da versão para a TV. Para ocupar o lugar de Zeca, Pedro e Biba, foi escalado um novo trio de crianças: João (Leandro Léo), Cacau (Mayara Constantino) e Ronaldo (Oscar Neto). Os bonecos originais da série também foram substituídos. Dos personagens visitantes, apenas Penélope faz uma participação "afetiva", como apresentadora de um telejornal. "Ela aparece de cabelo preto. Era só para fazer graça", conta Angela Dippe.

A história também pegava outro foco no conceito original do *Castelo*: tudo começa com a chegada do alinhamento dos planetas, um evento que pode aumentar o poder mágico dos feiticeiros. Surge então uma prima malvada de Morgana, Losângela (Marieta Severo), que rouba o livro de feitiços da bruxa e, com ele, os poderes mágicos da família de Nino. Dr. Abobrinha e seu ajudante, Rato (Matheus Nachtergaele), que sonham demolir o *Castelo,* se aliam à vilã e "invadem" a casa dos Stradivarius. Com a perda dos poderes de Victor e Morgana, Nino foge do castelo. É uma inversão do primeiro capítulo da série: desta vez, é o aprendiz de feiticeiro que vai à cidade para conhecer novos amigos. Juntos, eles tentam derrotar os vilões.

Para Sérgio Mamberti, a figura do Dr. Victor foi modificada no filme. "Ele era um homem da Renascença, e se tornou uma mistura de Einstein com alquimista", conta. Apesar de ser feito pelo mesmo ator, o Dr. Abobrinha também aparece alterado na versão cinematográfica do programa. "O Cao, por exemplo, não deixou que eu falasse que 'o *Castelo* será meu, meu, meu!'. Acho um erro o filme não ter sido feito com os personagens principais", diz Pascoal da Conceição, que atribui ao diretor a escolha de um padrão mais hollywoodiano para o filme. "Por outro lado, admiro a coragem dele de bancar essa linguagem."

Em reportagem na época do lançamento do filme, o diretor admitia a inovação: "Tudo é um risco. Também seria arriscado fazer outro *Castelo Rá-Tim-Bum* igual ao da TV. Não demorei quatro anos para levar para o cinema só mais um episódio da série", disse ele ao *Jornal da Tarde*[85]. Estreia de Cao Hamburger em longas-metragens, *Castelo Rá-Tim-Bum: o Filme* teve produção e investimento diretos da Columbia Pictures, sendo um dos filmes mais caros da história do cinema nacional, com orçamento de R$ 7 milhões (em valores da época), com produção executiva do próprio Cao e do casal Alain e Van Fresnot[86]. Ao longo do tempo que ficou em cartaz, o projeto atraiu 725 mil espectadores, com renda total de R$ 3,03 milhões, atingindo uma exibição máxima de 134 salas de cinema simultâneas no país.

A crítica gostou do filme. "Se prevalecer o critério da qualidade, o maior sucesso do cinema brasileiro no verão será *Castelo Rá-Tim-Bum: o Filme*", escreveu Luiz Carlos Merten em texto n'*O Estado de S. Paulo*, elogiando a mão de Cao Hamburger para filmar São Paulo e o elenco, com destaque para o menino Diegho. "Ele é o grande achado da direção (e do filme)", avaliou Merten[87]. Seu colega de jornal Luiz Zanin Oricchio, por sua vez, chamou o filme de "programa obrigatório" e disse que se trata de "cinema convincente, de qualquer ponto de vista que se analise". No texto, Zanin faz elogios à montagem de Michael Ruman e à fotografia de Marcelo Durst, "que capricha na tonalidade expressionista, que pode deixar os espectadores menores pouco à vontade"[88]. Na *Folha de S.Paulo*, Haroldo Sereza decretou logo na primeira linha de sua crítica "que *Castelo Rá-Tim-Bum: o Filme* supera a série da TV Cultura que lhe deu origem"[89]. Já no *The New York Times*, Laurel Graeber disse que Cao Hamburger captou "de modo gracioso o estilo de vida de uma *Família Addams* latina"[90].

No entanto, a maioria dos envolvidos na produção do programa de TV não gostou do resultado final. "As crianças ficam irritadas de relacionar aquele filme com o *Castelo*. Não tem nada que ver. A única coisa parecida é a presença dos dois atores que fazem o Dr. Victor e a Morgana", diz o artista plástico Silvio Galvão. "Acho super bem-feito, mas é uma aventura adolescente, o tipo de coisa de que eu não curto tanto. É um trabalho que mostra o poder do Cao como diretor, mas não morro de amores pelo filme", opina Anna Muylaert. "Para mim, o filme não bateu. Não consigo ver o *Castelo* nele", diz Marcelo Tas.

Philippe Barcinski, que auxiliou Cao na fase final de montagem, acredita que o filme não conseguiu atingir um público-alvo específico. "O *Castelo* da TV era tão claro e luminoso que o filme frustrou as crianças menores. Já as mais velhas, que poderiam curtir a atmosfera *dark* do filme, tinham preconceito porque parecia coisa de criança", diz. A diretora de programação Beth Carmona foge do coro: "O primeiro capítulo do *Castelo* é um capítulo mágico. E, para mim, o filme tem essa magia, e consegue traduzir aquela experiência para a tela grande", avalia.

Originalmente, os planos de Cao Hamburger contemplavam mais aventuras do *Castelo* na tela grande. "O problema foi que, logo depois do filme, surgiu o *Harry Potter*, que explora muito bem esse universo mágico no cinema", diz o diretor. "Achei que não valia a pena competir."

12. A doença *Rá-Tim-Bum*

1995 foi um ano ruim.

Para a TV Cultura, foi um ano mais complicado do que se podia prever. Afinal, em 1994 a emissora teve uma grande temporada. Além do *Castelo Rá-Tim-Bum*, também lançou *Confissões de Adolescente*, série sobre a vida de uma família formada por um pai viúvo (Luis Gustavo) e quatro filhas entre 12 e os 20 anos de idade (Maria Mariana, Daniele Valente, Georgiana Góes e uma estreante, Deborah Secco). A direção era do ex-global Daniel Filho, que também produziu a série de forma independente com sua nova produtora, a Dez Produções.

O orçamento de US$ 500 mil foi dividido entre Daniel, a Cultura e o Banco Nacional, em mais uma parceria viabilizada pela lábia de Roberto Muylaert. "O Daniel Filho ficou um ano batalhando o *Confissões* e nenhuma emissora topou, talvez por medo da Globo, que não tinha aceitado a série", lembra Muylaert. Na Cultura, tudo se resolveu em uma tarde: Daniel almoçou com Muylaert na emissora e mostrou o projeto. "Logo depois, eu liguei para a Ana Lúcia Magalhães Pinto, do Banco Nacional. Ela era louca por cinema, e nós fechamos tudo por telefone", recorda o ex-presidente da Fundação Padre Anchieta. "Foi um programa bacana porque, além da qualidade, foi um espaço para produtores independentes que a gente encontrou dentro da TV aberta."

Para os padrões da Cultura, *Confissões* foi um sucesso de audiência, alcançando a média de 6 a 8 pontos em suas transmissões, que começaram no dia 22 de agosto de 1994. Além disso, o projeto recebeu uma indicação ao Emmy Internacional no ano seguinte e marcou época para uma geração de adolescentes. Não foi só: com o fim da produção do *Castelo*, setores da emissora se liberaram para criar novos programas, como *Nossa Língua Portuguesa*, do professor de português Pasquale Cipro Neto. "Ele era um caboclo despretensioso, tímido, mas convenci a Beth e o pessoal a colocá-lo no horário nobre. Acabou tendo uma ótima reação", diz Muylaert. O comentário do ex-presidente da FPA é exagerado: àquela altura, Pasquale já dava aulas havia quase duas décadas e era colunista da *Folha de S.Paulo* desde 1989.

Os novos programas também foram favorecidos por mais uma evolução tecnológica na emissora. Desde 1993, a TV Cultura de São Paulo passou a ser chamada de Rede Cultura, depois que a Fundação Padre Anchieta conquistou do Governo Federal o direito do uso de um canal de transmissão via satélite no Brasilsat A2, de propriedade da União. A negociação não foi fácil: ministro das Comunicações na época, o baiano Antônio Carlos Magalhães emperrava a entrada da Cultura no satélite. A justificativa, segundo Muylaert, era de que Magalhães temia que a TV Educativa do Rio de Janeiro (TVE), federal, perdesse espaço diante da qualidade dos programas da emissora paulista. "Com a entrada no satélite, nós realmente começamos a conquistar o Brasil", gaba-se Muylaert.

Além disso, pela primeira vez em muitos anos, o país se encontrava em um bom momento econômico. Depois dos anos de hiperinflação e de inúmeros planos econômicos fracassados, o Plano Real pôs ordem na casa. Bastante ousado, o projeto criado pelos economistas Pérsio Arida e André Lara Resende foi capaz de domar a escalada de preços e devolver o poder de consumo aos brasileiros. Entre julho e novembro de 1994, a inflação média do país ficou em 2,93%, algo impensável meses antes.

Não por acaso, seu "fiel da balança", o ministro da Fazenda Fernando Henrique Cardoso (PSDB) acabou sendo candidato à presidência da República e venceu no primeiro turno, com 54,28% dos votos válidos, o sindicalista Luiz Inácio Lula da Silva (PT). A continuidade do plano, que havia começado bem, estava garantida. E, se em momentos difíceis para o país a Cultura já havia sido capaz de renovar sua programação e estabelecer um novo padrão de qualidade na televisão brasileira, tudo parecia conspirar para que a boa fase continuasse.

Mas não foi isso o que aconteceu.

Envolvido com a campanha de Fernando Henrique Cardoso, Muylaert já havia se afastado do comando da Fundação Padre Anchieta no segundo semestre de 1994. Quem passou a comandar a emissora na época foi seu superintendente, Renato Bittencourt. A intenção do presidente da FPA era clara: ser o ministro da Cultura do novo governo. Por conta do jogo político, porém, Fernando Henrique acabou convidando o cientista político Francisco Weffort (próximo do PT e, portanto, capaz de dialogar com a oposição) para ocupar o posto. Para não fazer desfeita a Muylaert, o presidente eleito convidou-o para ser secretário de Comunicação Social.

Com *status* de ministério, o posto dava ao comandante da TV Cultura a chance de cuidar de todas as televisões e rádios educativas da União, levando em frente uma linha de trabalho já adotada na Fundação Padre Anchieta. Ao aceitar o convite, em janeiro de 1995, Muylaert deixou oficialmente o posto de presidente da FPA – em seu lugar, Renato Bittencourt assumiu em definitivo.

Foi muito barulho por quase nada: Muylaert ficou pouquíssimo tempo na Secretaria de Comunicação Social. Em março de 1995, fez um pedido formal de demissão ao presidente da República, ao ter sua imagem desgastada por equívocos internos – muitos deles provocados por Sérgio Motta, ministro das Comunicações e um dos principais articuladores políticos do governo FHC, conhecido pelo apelido "Trator".

"Estamos sendo criticados por aquilo que nunca fomos encarregados de fazer: imagem e comunicação do governo", disse Muylaert ao jornal *Folha de S.Paulo* em 31 de março de 1995, alegando que questões políticas foram confundidas com problemas da área de comunicação[91]. "A forma de resolver o problema da comunicação seria nomear uma pessoa que tivesse experiência política, até mesmo de política partidária, e ficasse próxima do presidente o tempo todo." Hoje, Muylaert se arrepende de ter deixado a Fundação Padre Anchieta. "Ficaria até o fim. E talvez tivesse feito outras indicações para meus sucessores."

Com a ascensão de FHC ao Palácio do Planalto, o PSDB também conquistou o governo do estado de São Paulo com o santista Mário

Covas, que assumiu o posto em 1º de janeiro de 1995. Sua missão número 1 era enxugar a máquina pública do estado, assolada por anos de má administração, inflação e correção monetária. Na capa da *Folha de S.Paulo* daquele dia, uma manchete indicava a gravidade do problema: "Covas assume hoje dívida de R$ 31 bilhões"[92]. A Fundação Padre Anchieta foi uma das entidades mais afetadas, com corte súbito de 30% de seu orçamento. Para se adequar aos novos tempos, Renato Bittencourt teve de demitir cerca de 600 funcionários – cerca de 20% dos quadros da emissora. Parte dos cortes veio de um programa de demissões voluntárias – entre os nomes que se foram, estava o artista plástico Silvio Galvão.

Bittencourt, no entanto, não deveria ficar no cargo indefinidamente: segundo o estatuto da FPA, estavam previstas eleições para abril daquele ano. O candidato natural, apoiado por Roberto Muylaert, era o jornalista Jorge da Cunha Lima. Em seu currículo, Cunha Lima tinha comandado a TV Gazeta durante os anos 1980, bem na época do aparecimento televisivo do grupo da Olhar Eletrônico. O jornalista também era bastante conhecido por ser um membro da ala à esquerda do Partido do Movimento Democrático Brasileiro (PMDB).

No entanto, um grupo liderado pelo ex-governador do estado Abreu Sodré, conselheiro da Fundação, começou a arquitetar a volta de Muylaert ao cargo nas eleições daquele ano. Afinal de contas, o antigo comandante da Fundação Padre Anchieta já estava "livre" de novo. Em uma reunião com seus aliados, Sodré teria dito que "Cunha Lima é um *gentleman*, e surpreendido por esse apelo do conselho não se recusará a retirar sua candidatura"[93]. Um dos presentes na reunião e depois o próprio Muylaert avisaram Cunha Lima da conspiração. No fim das contas, Cunha Lima venceu a eleição por 33 votos – em um quórum de 36 conselheiros presentes. Em retribuição a Muylaert, o novo presidente da Fundação Padre Anchieta manteve a diretoria da gestão anterior, com Renato Bittencourt na superintendência e Beth Carmona na diretoria de programação.

Enfim empossado, porém, o novo presidente da FPA tinha à sua frente um cenário bem diferente do que havia sido deixado por

Muylaert no final de 1994. "Deparei com um quadro de funcionários gratos por não terem sido demitidos na cota de 20% de demissões impostas, o que ocasionou uma inconveniente gratidão dos mantidos, desde aquela época mais ligados a seus protetores do que à instituição", conta Cunha Lima[94].

Sem dinheiro para pagar seus profissionais e fornecedores, a Cultura produziu muito pouco naquele momento. No livro *Uma História da TV Cultura*, no qual dá sua versão da história da emissora, Cunha Lima conta que até mesmo contas de luz passaram da data de vencimento. Começava ali uma longa trajetória de projetos iniciados e não acabados e das reprises *ad nauseam* dos programas infantis realizados pela emissora até 1994. O cenário de crise, pelo menos, rendeu a Cunha Lima uma boa tirada. Ele mesmo a conta no livro. "Um dia fui reclamar [ao governador] da falta absoluta de investimento [na Fundação Padre Anchieta] no seu mandato. Irado, Covas afirmou que não tinha nem esparadrapo para colocar na cabeça das crianças no Hospital das Clínicas. Retruquei: 'O governador coloca esparadrapo na cabeça de milhares de crianças e a televisão Cultura coloca pensamento na cabeça de milhões de crianças.'"[95]

A falta de verba e de espaço para produzir novos programas deixou os estúdios da TV Cultura ociosos – o que fez que o cenário do *Castelo* permanecesse montado durante bastante tempo. Segundo a cenógrafa Luciene Grecco, o castelo permaneceu em pé até meados de 1996, sendo utilizado para cerimônias internas e visitas na TV Cultura. De acordo com Luciene, a emissora chegou a tentar vender o cenário para dois compradores diferentes: o parque de diversões Playcenter, coqueluche da época em São Paulo, e uma TV de Portugal. No fim das contas, nenhuma das duas ofertas vingou. "O dia em que nós desmontamos o cenário foi muito triste. Foi como desligar os aparelhos de um doente moribundo", diz ela. Para Luciene, faltou visão à emissora: era possível ter transformado o cenário em um espaço para visitação. "Estaria preservado até hoje, e rendendo frutos (financeiros ou não) para a Cultura."

Após o desmanche, muitas das peças do acervo original do *Castelo* se perderam: hoje, estima-se que apenas 3% do material produzido para o programa continue intacto. "Foi muito triste. Eu queria guardar comigo a planta carnívora, que era um dos meus xodós. Quando fui ver, já tinham levado a planta embora", diz o artista plástico Silvio Galvão, que concebeu o girassol baseando-se no filme *A Pequena Loja de Horrores*, feito pelo cineasta Roger Corman em 1960.

Respirando por aparelhos, a emissora se rendeu ao mundo das propagandas e dos licenciamentos, frequentes nas televisões comerciais, mas inéditos naquele espaço tido como sagrado. "Foi nas gestões do Jorge da Cunha Lima que a propaganda virou um instrumento de sobrevivência da TV Cultura, de tal forma consolidado que não se pode mais abrir mão", diz Fernando Fortes, em texto inserido em *Uma História da TV Cultura*. "Foi ele, Jorge, que estruturou uma diretoria de marketing, de receitas operacionais, que transformou a captação de publicidade numa atividade absolutamente consolidada."[96]

Com um programa de sucesso como o *Castelo Rá-Tim-Bum* nas mãos, seria natural esperar que a emissora começasse sua linha de licenciamentos pela série do feiticeiro Nino. Em reportagem de junho de 1995, o *Jornal da Tarde* destacou que o *Castelo* podia se transformar em uma "pequena mina de ouro" para a emissora. No texto, o chefe do departamento de Receitas Operacionais da emissora, Luiz Cláudio Raposo, disse que "esse é o momento de a Cultura usar esse recurso para gerar receitas". Entre os produtos já planejados, eram mencionados kits de festa de aniversário, quebra-cabeças, triciclos e o lançamento de revistas paradidáticas, além da possibilidade de usar a marca em roupas e produtos de higiene. Em tom profético, a repórter Priscila Simões encerrou o texto "*Castelo*, da TV para os livros e CD-ROM" questionando "se, com essa exploração mercadológica, o caráter educativo da série inicial será mantido. Como diz Flavio de Souza em seu livro: 'Criança sabe que existem coisas que os adultos sabiam, mas foram esquecendo quando foram crescendo'"[97].

A profecia acertou em cheio: dois anos depois, em texto sobre a peça *Onde Está o Nino?*, o repórter Celso Fonseca, da *Istoé*, destacou que os 30 produtos da grife *Castelo*, entre bonecos, meias e escovas de dente, fizeram a emissora arrecadar R$ 3,5 milhões em receitas naquele ano. O texto fazia a ressalva de que, livros e CDs à parte, "sobram muitos badulaques" nos produtos do *Castelo*[98]. A máquina de fazer dinheiro seguiu seu rumo nos anos seguintes: em reportagem de abril de 2000, a *Veja São Paulo* disse que os 150 produtos licenciados pelo *Castelo*, bem como os espetáculos associados à marca, já tinham ultrapassado os R$ 20 milhões em receitas. Naquela temporada, a expectativa de faturamento da marca era de pelo menos R$ 10 milhões.

Para a maioria dos envolvidos no *Castelo*, porém, a divisão do bolo não foi feita de forma justa e/ou igualitária. "Sempre ouvi de todo mundo que eu tinha de processar a Cultura", conta Flavio de Souza, que diz não ter lucrado com os licenciamentos do programa que ajudou a criar.

Segundo relatos da maioria dos envolvidos no *Castelo*, houve dois contratos para o programa – o primeiro, assinado antes da estreia, era um contrato de relação de trabalho comum, como o que se fazia na época. Já o segundo, assinado alguns meses depois, indicava que haveria cessão dos direitos sobre a obra – fossem eles autorais, de imagem ou conexos[99] – à Fundação Padre Anchieta, em troca de um pequeno porcentual, em rateio, sobre os produtos vendidos pela emissora com a marca *Castelo Rá-Tim-Bum*. "Ganhei dinheiro para criar e ganhei dinheiro para escrever o *Castelo*, mas no contrato está escrito que eu abro mão dos direitos para tudo: CD, DVD, livro, até para coisas que não tinham sido inventadas", resume Flavio. "Fui burro de não ler o contrato, mas eu concordei com ele. Para mim, era mais um programa que eu estava fazendo", conta.

No arquivo da TV Cultura, restam algumas vias de contrato assinadas pelos envolvidos no *Castelo*. Reproduzimos a seguir a primeira cláusula de um contrato-base, assinado, pelo menos ao que consta no acervo da emissora, pelas passarinhas Dilmah Souza e Ciça Meirelles, e pelos "atores" Marcelo Tas e Flavio de Souza, que versa sobre o uso da imagem dos profissionais contratados pela emissora.

> [...] para que seja fixada e reproduzida a imagem dos envolvidos em ilustrações, retratos, caricaturas, desenhos fotografias e outras formas, destinadas a utilização, aplicação e duplicação em cromos, livros, revistas e periódicos, de edição gráfica ou por outra modalidade já desenvolvida ou que venha a ser criada, outros produtos gráficos, jogos e brinquedos educativos ou recreativos, artigos escolares, de vestuário, calçados em geral, mochilas, pastas, bolsas e afins, objetos de adorno e quaisquer outros destinados à comercialização ao público em geral.

Assinados em 30 de novembro de 1994, os contratos dão conta de que, em troca da cessão de sua imagem, os profissionais envolvidos no *Castelo* receberiam 12% da receita líquida da Fundação Padre Anchieta sob os produtos comercializados, em rateio. Apesar de bem intencionada, a divisão percentual acabaria por gerar confusões e problemas para os envolvidos no *Castelo*, especialmente por sua dificuldade de auditoria. "Quem é que me garante que foram vendidos 10 mil ou 70 mil produtos?", questiona Eduardo Silva, o Bongô. O ator se lembra de ir todo mês assinar os documentos com os vencimentos a que tinha direito. "A venda de mil álbuns de figurinha gerava R$ 0,20. 10 mil livros? R$ 0,70. Não valia mais a pena ir lá para receber só alguns centavos", conta. A insatisfação com os pagamentos foi um dos assuntos mais comuns nas entrevistas para este livro – e histórias como as de Silva se repetiram em várias delas. Ninguém, porém, resume melhor o sentimento geral sobre o assunto que a roteirista Anna Muylaert: "Todo mundo se fodeu nessa história".

São várias as motivações para as reclamações dos envolvidos no *Castelo*. Há a venda de episódios do *Castelo* para o exterior: durante anos, a emissora americana Nickelodeon transmitiu a série em países da América Latina – na Venezuela e em Cuba, por exemplo, o *Castelo* é um sucesso. Há as infindáveis reprises do programa exibidas nas últimas duas décadas, seja na própria TV Cultura ou na TV Rá-Tim-Bum, canal por assinatura criado em 2004 pela Fundação Padre Anchieta. Há uma discussão específica sobre um contrato feito com a Globo em 2013 – em troca dos direitos para exibir o *Sítio do Picapau*

Amarelo feito pela emissora carioca em 2001, a Cultura cedeu *Cocoricó* e *Castelo Rá-Tim-Bum* para serem exibidos pela Globo Internacional em seus canais nos Estados Unidos, na Europa, na África e na Ásia. Em reportagem da época, as emissoras alegam que a operação foi feita "sem dinheiro"[100] – o que isentaria, moralmente, a transação de pagamento de direitos autorais. Por fim, há ainda os licenciamentos realizados a partir de produtos que o *Castelo* gerou – cadernos, lancheiras, meias, bonecos, fitas de vídeo e uma infinidade de coisas.

Um dos maiores prejudicados no caso, Cao Hamburger enxerga a situação com altivez, 20 anos depois. "Para não me chatear muito, sempre penso que ter tido a chance de fazer esse programa com a idade que eu tinha na época foi algo incrível" diz o diretor. "Prefiro ter o pensamento positivo de ter mais cuidado com os próximos contratos que eu fizer." O pensamento vale também para quase todos os participantes do projeto – mas, como sempre, há uma exceção que confirma a regra.

Desde 2013, tramita na Justiça do Trabalho de São Paulo um processo do ator Fredy Állan contra a TV Cultura, pedindo o pagamento dos direitos conexos referentes às reprises do *Castelo* feitas a partir de 26 de agosto de 2011 pela emissora. Na primeira instância, a Justiça deu ganho de causa ao intérprete do Zequinha: além de uma indenização de R$ 25 mil, a Cultura foi condenada a pagar um valor a ser apurado no futuro pela quantidade de episódios exibidos desde a data inicial estipulada no processo. No entanto, a emissora recorreu da decisão, e o caso ainda aguarda julgamento na segunda instância. Em nota de 2013, o jornal *O Estado de S. Paulo* afirmou que o processo de Fredy Állan, se decidido em favor do ator, pode gerar precedentes para que outros atores procurem seus direitos na Justiça contra as emissoras[101].

Mas "o *show* precisou continuar" na Cultura. Nos últimos 20 anos, a emissora realizou menos programas infantis de peso do que no intervalo de cinco anos entre *Rá-Tim-Bum* e *Castelo Rá-Tim-Bum*. Foram anos de sucessivos cortes de orçamento e administrações bem intencionadas, mas, na maior parte das vezes, incompetentes ao tentar empreender novos sucessos para a Cultura.

Pouco antes da estreia do *Castelo*, Anna Muylaert deixou o programa para se dedicar aos dois filhos. Um era José, fruto do casamento com André Abujamra. O outro era uma nova série para a TV Cultura: *Boys Heróis*. "Depois do *Castelo*, que era uma superprodução para crianças menores, havia na Cultura a proposta de fazer uma atração com atores para crianças de 8 a 12 anos, renovando o *Mundo da Lua*", conta a diretora de programação Beth Carmona, uma das principais entusiastas do projeto.

Segundo Beth, o rascunho da série era sobre um grupo de garotos que trabalhavam como *office boys* em um escritório, vivendo aventuras em São Paulo. A intenção era misturar o universo da TV com a linguagem de histórias em quadrinhos e filmes de super-heróis. Em documentos encontrados no acervo da TV Cultura, no meio de pastas com arquivos com dados sobre o orçamento do *Castelo Rá-Tim-Bum*, há descrições breves de *Boys Heróis*.

A princípio, o programa teria três meninos como personagens principais – um branco, um negro e um de origem asiática, chamado Hokada. Juntos, os garotos dividiriam um par de tênis mágicos. O "poderoso pisante" lhes daria superpoderes como dar saltos magníficos pela cidade de São Paulo ou se comunicar entre si com o tênis-fone – mais uma geringonça que seria criada pelo departamento de Efeitos Especiais da Cultura. Uma previsão de orçamento encontrada nos arquivos dá conta de que o custo de mão de obra (equipe técnica e de criação) para a realização de 52 episódios do programa seria de US$ 440 mil – o valor não inclui gastos com elenco, locações, edição e finalização.

O projeto teve várias tentativas de ser produzido, entre o final de 1993, quando começou a ser concebido por Anna, e 1997, já na gestão de Jorge da Cunha Lima. Em reportagem de abril de 1997, a *Folha de S.Paulo* apontava que alguns roteiros do programa estavam sendo reescritos por Anna Muylaert, e que *Boys Heróis* chegaria às telinhas em 1998[102]. Entretanto, seu projeto nunca se concretizou, por razões que nenhum dos envolvidos até hoje consegue explicar muito bem.

Se *Boys Heróis* nunca foi ao ar, o mesmo não se pode dizer de outro programa concebido ainda na gestão de Roberto Muylaert. E quem conhece a gaita já sabe de quem se está falando: *Cocoricó*. O programa estrelava o menino Júlio – o mesmo de *Um Banho de Aventura* –, que deixou a cidade para morar na fazenda com seus avós. Em um animado paiol, ele tocava sua gaita fazendo rock rural em uma turma com vaca (Mimosa), cavalo (Alípio), papagaios (Caco e Kiko) e galinhas (Zazá, Lilica e Lola) em uma fazenda muito animada. Na cabeça da diretora de programação Beth Carmona, *Cocoricó* foi criado para renovar o formato de "cabeça de desenho", àquela altura exercido pelo já desgastado *Glub Glub*. Em sua primeira versão, porém, o programa nada tinha do ambiente rural que viria a consagrá-lo.

"Tudo começou quando me perguntaram se o Júlio ainda existia. Queriam utilizá-lo em um novo programa, no qual um menino e uma menina se encontram todo dia para brincar numa casa de árvore. Enquanto eles brincam, batem papo e assistem a desenhos animados", explica Fernando Gomes, que aderiu de pronto ao projeto. Quando Júlio foi transportado da casa da árvore para o mundo do campo, Gomes foi junto. "No início, gravamos o Júlio com três galinhas mecânicas, mas acabou não dando certo", lembra a produtora Bia Rosenberg, que continuava à frente do departamento de Programação Infantil. "Jogamos tudo fora e começamos de novo com bonecos de espuma."

Apesar de ter estreado apenas em 1º de abril de 1996, às 19 horas, o *Cocoricó* já tinha fórmula e até mesmo alguns programas prontos quando Muylaert deixou a presidência. "Quando o Jorge chegou, o *Cocoricó* estava prontinho. Nós seguramos a estreia, porque ficamos na dúvida do que fazer com a mudança dos presidentes", lembra Beth Carmona.

Em seu primeiro ano, o programa foi bem, conquistando o prêmio da APCA para Melhor Programa Infantil de 1996 e mantendo a faixa de audiência da Cultura naquele horário na casa dos 7 pontos de audiência. Em momentos posteriores, o *Cocoricó* venceu prêmios como o Prix Jeunesse e o Emmy Internacional – esse último, pela programação especial no Dia Internacional da Criança na Televisão, comemorado em 9 de dezembro[103].

Na mesma reportagem em que citava que *Boys Heróis* seria exibido em 1998, a *Folha de S.Paulo* citava ainda outro projeto que estava sendo concebido pela emissora na gestão Cunha Lima: *Fazenda Rá-Tim--Bum*. "Era um sonho do Cunha Lima fazer um programa sobre o mundo rural", conta Bia Rosenberg. Segundo várias notícias publicadas na imprensa, o programa seria mais uma vez patrocinado pela Fiesp. Na época, o *Jornal do Brasil* chegou até a estipular o orçamento de US$ 7 milhões para o programa, que teria a presença dos principais personagens e atores do *Castelo* em um ambiente rural, com direção de Cao Hamburger e supervisão de Anna Muylaert.[104] Antes de levar Nino e seus amigos para o mundo rural, houve ainda um plano de um programa chamado *Planeta Rá-Tim-Bum* – ou, ainda, *Planeta Encantado Rá-Tim-Bum*.

Segundo reportagem d'*O Estado de S. Paulo* publicada em novembro de 1997, *Fazenda* teria ao todo 90 episódios e traria à tona um enfoque ecológico, baseado no desenvolvimento sustentável. Novos personagens seriam criados: um gênio da engenharia genética, um menino do tempo e bactérias mágicas capazes de preservar as plantas sem o uso de inseticidas[105]. O que não foi noticiado na época foi que o projeto de *Fazenda* nunca foi levado a sério dentro dos portões da rua Cenno Sbrighi. "Na época, muitas notícias eram plantadas na imprensa. Cansei de ver isso acontecendo", conta Regina Soler, que deixou a emissora em 1994 para se aperfeiçoar como roteirista na Globo. "Minha mãe era apaixonada pela TV Cultura e me ligava toda vez que saía uma notícia dizendo que estavam produzindo algo. E não estavam."

O bonequeiro Fernando Gomes também se recorda do clima de incerteza do período. "Toda vez que saía uma matéria sobre o *Fazenda*, era difícil para quem estava lá dentro. Não estavam fazendo o programa. Nunca existiu uma mesa, em uma sala, com um produtor pensando no que seria o *Fazenda Rá-Tim-Bum*. Isso tudo saiu de dentro da cabeça do presidente, e a imprensa acabava publicando", diz ele, que enxerga nesse momento o surgimento do que pode ser chamado de "doença *Rá-Tim-Bum*".

"Cada presidente que entrou na Cultura depois do Muylaert falava que iria fazer o novo *Rá-Tim-Bum*. São projetos muito grandes: em um mandato de três anos, ninguém consegue viabilizar os recursos para fazer um *Rá-Tim-Bum*", diz Gomes. "São os delírios e devaneios dos líderes." Para o bonequeiro, faltou à Cultura, nas duas últimas décadas, a noção de que uma boa programação não se faz apenas com superproduções, mas também com programas simples – caso do *Glub Glub*, do *Bambalalão* e até do próprio *Cocoricó*. Ele não é o único no coro: para o músico Hélio Ziskind, a TV Cultura "é uma mãe doente, que acaba com os seus filhos".

A ingerência de Cunha Lima causou danos colaterais à equipe da emissora. "Foi um momento muito difícil: havia conflito entre o *Fazenda* e o *Cocoricó*. Além disso, aos poucos, reuniões para novos programas foram feitas sem a minha presença", reclama Beth Carmona. "Sei que a Anna foi chamada, o Cao também, e foi algo bastante indelicado, no qual o presidente começou a tomar funções da diretoria de programação." Irritada, Beth decidiu deixar a emissora em 1997, meses antes do começo do segundo mandato de Cunha Lima. No fim das contas, nem Anna nem Cao participaram de *Fazenda*. Ambos já estavam envolvidos com outro programa – o *Disney Club*, do SBT.

Se a Cultura vivia seu inferno astral, nas outras emissoras a hora era de oportunidade. Primeiro, para aproveitar o bom momento econômico que o país vivia, movido por uma forte onda de consumo – e consumo significa publicidade, e publicidade significa dinheiro nos cofres. Segundo, para correr atrás dos profissionais bem-sucedidos que tinham feito o sucesso de programas como *Castelo*, mas foram alijados da Fundação Padre Anchieta.

No SBT, por exemplo, as vitórias da Cultura na audiência incomodavam Silvio Santos. Certa vez, o Homem do Baú se sentou lado a lado de Roberto Muylaert em um voo para a Europa. Ali, o dono do SBT fez uma confissão ao jornalista, já fora da Cultura havia anos.

— Gostei muito de quando você saiu de lá.

— Ah, é? Por quê? — perguntou Muylaert.

— Vocês conseguiam ganhar de mim algumas vezes e eu só pensava: "Coitados, eles ganham, mas não faturam... coitados!"

De olho na audiência da emissora rival, Silvio Santos inicialmente usou uma solução simples: exibiu a novela infantil *Chiquititas*, um *remake* de uma produção argentina homônima. Meses depois, unido à Disney, o Homem do Baú repetiria a estratégia que executou em 1993, quando "roubou" alguns dos maiores talentos da Cultura para a naufragada produção de *Mariana, a Menina de Ouro*. Dessa vez, no entanto, a investida deu certo.

A ideia da Disney era criar uma versão brasileira do *The Mickey Mouse Club*. Criado em 1955, o programa era um clássico da TV americana: voltado para o público infantil, exibia desenhos animados da casa do Mickey. Ao longo de quatro décadas, o *Clube do Mickey* teve diversas versões, revelando estrelas como a atriz Annette Funicello (famosa pelo filme *Folias na Praia*), o ator Ryan Gosling e os cantores Justin Timberlake e Britney Spears.

"A Disney começou as negociações com a Globo, mas não deu certo. Aí eles assinaram com o SBT e resolveram chamar a equipe que tinha criado o melhor programa infantil brasileiro", explica a roteirista Claudia Dalla Verde, recrutada para o projeto. "A ideia era fazer um programa com conteúdo e cara locais." Cao Hamburger e Anna Muylaert, por sua vez, cuidaram da criação e da direção-geral do projeto. "Era para ser um 'cabeça de desenhos', mas o Cao e eu tivemos a ideia de usar a temática jovem do *Mundo da Lua* de um jeito mais *rock 'n' roll*", conta Anna.

Inspirado no título de um livro de Carlos Drummond de Andrade, *O poder ultrajovem*, o *Disney Club* brasileiro tinha como mote um grupo de crianças que constrói uma emissora de TV pirata no sótão de casa. No canal, eles exibem desenhos (entre eles, *A Turma do Pateta* e *Timão e Pumba*, derivado do sucesso do cinema *O Rei Leão*) e mostram as reinvindicações das crianças no Comitê Revolucionário

Ultrajovem (ou simplesmente Cruj). "No Cruj, os ultrajovens mostram que merecem respeito e fazem suas queixas contra os adultos, como o direito de vestir o que quiserem e arrumar seu próprio quarto"[106], explica reportagem de Mariana Scalzo na *Folha de S.Paulo*. O nome do comitê era tão bom que, até hoje, o programa é lembrado por muita gente como somente *Cruj* ou *Disney Cruj*.

No início, as reinvindicações eram inventadas pelos roteiristas, mas depois de algum tempo o programa começou a receber cartas dos espectadores com reclamações. "Nunca vou me esquecer de uma carta de uma menina pedindo ajuda ao Cruj porque o tio dela a beliscava. São pequenas violências, que a criança não tinha para quem reclamar", diz Anna Muylaert, que se orgulha do projeto por sempre "dar voz às crianças".

Além de Anna, Claudia e Cao Hamburger, uma série de profissionais do *Castelo Rá-Tim-Bum* foi "transferida" para o SBT. A direção-geral era de Renato Fernandes, que dirigiu quadros como o dos Passarinhos, da Dedolândia e o *Como Se Faz?*; a trilha sonora de abertura do programa, por sua vez, era de Luiz Macedo. Já a assistente de direção do *Castelo* Regina Soler teve no *Cruj* a oportunidade de dirigir seus primeiros programas. "Todo mundo pensava que o *Cruj* era da Cultura, porque tinha a plástica da TV Cultura, a luz que a gente usava na Cultura. A equipe inteira era de lá", conta. Apesar de estar no SBT, o projeto tinha autonomia completa dentro da emissora de Silvio Santos. "Nosso patrão era mesmo o Mickey", brinca Claudia Dalla Verde, em referência ao apelido do dono do SBT.

O esforço do canal do Baú da Felicidade acabaria dando resultados: em 1997, *Disney Club* venceu o prêmio da Associação Paulista dos Críticos de Arte (APCA) como melhor programa infantil na televisão. Em uma segunda fase, o formato "cabeça de desenho" se transformou em um programa de ficção, com trama própria e até mesmo antagonistas, a Trub (Turma da Rua de Baixo). A ação era dirigida por Michael Ruman, o mesmo que uniu Eliana Fonseca e Cao Hamburger nos anos 1980. Ao longo de suas diversas fases, o programa teve vida longa – pelo menos para os padrões da televisão brasileira –, sendo produzido até 2002 e exibido até outubro de 2003.

Enquanto isso, nos lustres da Cultura, a situação permanecia complicada e novos projetos eram difíceis de ser realizados. Não que ela não tentasse: em 1997, a emissora retomou sua atenção aos adolescentes com o *Turma da Cultura*, uma atração diária, ao vivo, com uma hora de duração e a presença de cinco jovens apresentadores – entre eles, Luciano Amaral e Cinthya Rachel. "Com visual moderno, figurino descolado e linguagem de clipe, o programa lembra uma MTV mirim", descrevia *O Estado de S. Paulo*.[107] "Era um programa muito bacana: foi uma das primeiras vezes em que a televisão brasileira recebeu e-mails dos telespectadores", conta Luciano Amaral. "Eu me lembro de mostrar uma enciclopédia no computador: além de ler sobre um pássaro, a gente mostrava o som daquele pássaro. Hoje, isso parece absurdo."

Além dos dois, também estava presente na formação do programa o ator Fabiano Augusto. Pouca gente se recorda dele pelo nome – mas com certeza se lembra de seu bordão nas propagandas das Casas Bahia: "Quer pagar quanto?" Segundo Luciano Amaral, *Turma da Cultura* o ajudou a definir o que ele faria de sua carreira até hoje. "Foi a primeira vez que eu apresentei um programa", diz. É um dos maiores "legados" do programa, que durou cerca de dois anos, mas não conseguiu conquistar a audiência jovem. Em seu livro, Jorge da Cunha Lima afirma que "o modelo pedia grandes bandas e um apresentador com indiscutível carisma, capaz de atrair a 'moçada', o que não foi possível na época"[108].

Na área infantil, o sonho de manter a grife Rá-Tim-Bum permanecia vivo, nem que para isso fosse necessário mudar a franquia de cenário para uma ilha encantada. Em 1998, no *Jornal da Tarde*, o colunista Gabriel Priolli comentava os planos da emissora logo após a primeira reeleição de Jorge da Cunha Lima. "Nem fazenda, nem planeta: se a Cultura não mudar de ideia outra vez, a nova versão do *Castelo Rá-Tim-Bum* será agora a *Ilha Encantada Rá-Tim-Bum*". Na nota, Priolli dizia que Anna Muylaert deveria escrever os primeiros episódios, mas que Cao Hamburger, na época contratado pela Globo, estava fora do projeto[109].

No fim das contas, nenhum dos dois trabalhou no programa, cujo argumento foi idealizado por Flavio de Souza. "Cada programa terá duração de meia hora, com histórias completas, em que um grupo de crianças vive aventuras numa ilha encantada. Elas conversam com árvores, pedras e animais, valorizando a integração do homem com a natureza", diz texto de Eduardo Elias para o *Jornal da Tarde*, em fevereiro de 1999[110]. Na matéria, Elias apurou que, apesar de iniciado, o projeto estava ameaçado pela falta de pagamento da Fiesp. Parceiro do *Castelo*, Carlos Eduardo Moreira Ferreira tinha acordado com Cunha Lima a reedição da colaboração premiada. No entanto, Ferreira passou a presidência da Fiesp em 1998 para Horácio Lafer Piva, que pagou apenas a primeira parcela de R$ 250 mil das dez que estavam previstas para o programa.

Já com o nome abreviado, *Ilha Rá-Tim-Bum* acabou sendo bancado pela Fundação Bradesco, que custeou 40% dos R$ 10 milhões em que o projeto foi orçado. Com 52 episódios, *Ilha* era voltado para o público entre 7 e 12 anos, tendo pouco que ver com o conceito *Rá-Tim-Bum* que moldou os programas de 1990 e 1994. A gestação do programa foi complicada, indo ao ar apenas em junho de 2002 – quatro anos após o início de seu planejamento. O projeto tinha direção de Fernando Gomes e Maísa Zakzuk – que trabalhou no *X-Tudo*. Antes deles, a cineasta Laís Bodanzky, que na época acabara de dirigir o sucesso *Bicho de Sete Cabeças*, com Rodrigo Santoro, foi convidada para participar do projeto, mas acabou declinando.

"Passamos meses lendo todos os roteiros e descobrindo incoerências neles antes de começarmos a filmar. Achamos muitos buracos e apresentamos esses problemas à chefia, dizendo que precisávamos de mais tempo para alterações. A chefia falou: 'Não há problemas, está tudo lindo e vai ser feito'", lembra Fernando Gomes. Para ele, o projeto "nasceu errado". "Uma ilha é um pedaço de terra cercado por água de todos os lados. Como é que você vai fazer um mar dentro de um estúdio em uma emissora que não tem recursos?", indigna-se. A pressa tem sua culpa: o olho grande da Cultura para os produtos licenciados do programa. Em reportagem da *Folha de S.Paulo*, o repórter Daniel

Castro diz que, mesmo antes da estreia, a emissora pretendia faturar R$ 10 milhões com derivados da marca *Ilha Rá-Tim-Bum*.[111]

Ao contrário do *Castelo*, cujos episódios tinham tramas que se fechavam em si mesmas, *Ilha* era uma novelinha: cinco crianças sofrem um naufrágio e vão parar numa ilha cheia de seres surreais. Um deles é a aranha Nhãnhãnhã, feita pela atriz Angela Dippe, que, mais uma vez, sofreu com o figurino. "Era um calor da porra e eu ficava pendurada em uma cadeirinha de alpinismo", lembra a atriz. "Eu ficava assada, com a virilha doendo, e tinha de usar uma lente de contato vermelha. Era foda." Outro veterano de *Castelo* que participou do projeto foi Henrique Stroeter, mais uma vez sem mostrar seu rosto para as câmeras: desta vez, ele apareceu todo maquiado como o simpático monstro Solek.

Em sua estreia, *Ilha* decepcionou: fez apenas 2 pontos no Ibope da Grande São Paulo em suas primeiras exibições. Para Fernando Gomes, o caráter novelesco da trama foi um empecilho para que o programa caísse nas graças do público. "A história era linear: se você perdesse um capítulo, seria incapaz de entender o resto da trama, porque havia muitas reviravoltas", diz Gomes.

Além da série de TV, o enredo de *Ilha* ainda motivou um filme, *O Martelo de Vulcano*, produzido em parceria da Cultura com a Warner Bros. Entertainment. Lançado em 2003, o longa-metragem foi dirigido por Eliana Fonseca. "Os atores não estavam 100% ali também. Não era só um problema de recursos técnicos, mas também de recursos dramáticos", avalia a diretora. "Eu gosto do filme, mas não amo. Se você quiser ver um trabalho meu, vou mandar você assistir ao *Frankenstein Punk*." Para Cao Hamburger, a tentativa de fazer algo novo foi interessante. Nem todas as boas intenções, porém, funcionam. "*Ilha Rá-Tim-Bum* nem parece ter sido feito na Cultura, parece que foi feito na Record", diz o diretor. "Mas pelo menos arriscaram e fizeram algo novo."

13. Tchau não, até amanhã!

— Dá o celular, dá o celular! — gritou o assaltante, munido de uma pistola na mão.

"Puta merda, se esse cara apertar o gatilho, eu vou morrer", pensou o ator Pascoal da Conceição. Era uma manhã quente em São Paulo, em março de 2014. O intérprete do Dr. Abobrinha havia acabado de sair de casa, na Vila Mariana, para visitar a mãe no hospital e gravar uma locução. Como estava calor, abriu as janelas de seu Fusca. Um motoqueiro encostou, fingiu pedir informações e sacou uma arma. Estava armado o circo. Sem reação, Pascoal deu seu iPhone ao ladrão, com o braço tremendo.

— Dá a senha do iCloud, dá a carteira! — pediu o motoqueiro, de olho nos pertences que estavam no banco de trás. Escondido dentro de uma bolsa, um *laptop*. — Dá o *laptop*, rápido!

Quando Pascoal se virou para pegar o *laptop*, rolou de dentro da bolsa um microfone.

— Microfone? Quem é você? O que você faz? — perguntou o assaltante, bravo.

— Sou ator, faço locução... Eu... Eu fiz o Dr. Abobrinha no *Castelo Rá-Tim-Bum*! — respondeu Pascoal, assustado.

O ladrão reagiu de pronto, como se tivesse sido enfeitiçado. Pegou as coisas, devolveu ao ator e guardou a pistola.

— Pô, Dr. Abobrinha, desculpa! Continua aí fazendo a alegria das crianças, me perdoa, me perdoa! Fica com Deus! — respondeu o assaltante, que apertou a mão do ator e saiu correndo.

Meri Ore Eda é uma reserva indígena no Mato Grosso do Sul, a 450 quilômetros de Cuiabá e 1.300 quilômetros de São Paulo. Nela, habitam índios do povo bororo, que lá voltaram a se estabelecer depois de uma demarcação de terras. Em 2004, a aldeia fez parte de um projeto do Ministério da Cultura que buscava recuperar as origens e os rituais da tribo, dizimada e aculturada pelos padres católicos que atuavam como missionários na região.

"O principal ritual deles é a lavagem dos ossos, que permite que os mortos passem para outra dimensão. Os padres disseram aos índios que isso era anti-higiênico e proibiram o ritual", explica o ator Sérgio Mamberti. O intérprete do Dr. Victor era um dos idealizadores do projeto, enquanto titular da cadeira de secretário de Identidade e Diversidade Cultural do Ministério da Cultura, na gestão de Gilberto Gil (2003-2008), durante o governo Lula.

"Fomos para lá uma vez, o Gil e eu, tentar entender esses rituais e recuperá-los da melhor maneira possível", lembra Mamberti, que foi recebido com um ritual de saudação pelos membros da tribo. "Quando terminou a cerimônia, um monte de indiozinhos cheios de peninhas, todos pintados, veio correndo para cima de mim, gritando: 'Tio Victor! Tio Victor!' Fiquei impressionado", conta o ator. "Foi muito emocionante saber que até no meio do Xingu o *Castelo Rá-Tim-Bum* chegou."

Rua Marquês de Itu, centro de São Paulo. Fim de uma tarde tórrida de dezembro. Grande congestionamento. Em seu carro, o ator Pascoal da Conceição lamenta ter errado a entrada que lhe faria perder preciosos minutos em um típico trânsito paulistano. Na calçada, no sentido contrário, uma travesti desce a rua usando um curto vestido vermelho.

Perdido em pensamentos, Pascoal nem percebe, mas tem seu olhar fisgado pela travesti. "É aquela coisa: olhar de travesti, quando pega, é foda. Eu tentei desviar, não queria saber de papo", diz Pascoal. Não teve jeito. A travesti veio descendo a rua e só parou quando bateu na porta do Fusca do ator.

— Vem cá... Você não é o Dr. Abobrinha? — perguntou a travesti.

— Sim...

— Ai, Dr. Abobrinha, eu te amava quando eu era criança, eu torcia para você conseguir enganar todo mundo e demolir o *Castelo*...

Envolvida com sua tietagem, a travesti encontrou amigos. "E aí a conversa foi avançando. De repente, ela chamou várias travestis e todas elas rodearam o meu carro", conta o ator. "Quando eu vi, elas estavam todas batendo a bunda no capô, cantando 'Bum, bum, bum, *Castelo Rá-Tim-Bum!*'"

À parte das crises da TV Cultura nas últimas duas décadas, o *Castelo* vive. As três histórias mencionadas neste capítulo, reveladas pelos atores em entrevistas para este livro, são apenas exemplos de como o programa entrou para o imaginário da geração de crianças que cresceram nos anos 1990 e 2000 e aprenderam a ler, escrever, desenhar e conheceram artes, ciências e valores morais por meio do projeto criado por Cao Hamburger e Flavio de Souza.

"Cansei de ver meninas jornalistas me dizendo que escolheram a profissão por conta da Penélope", conta a atriz Angela Dippe. "Vivem me parando na rua e pedindo para fazer o 'Caracatau!', é uma coisa quase erótica", comenta Patricia Gasppar, a Caipora. "Já deixei de pagar corrida de táxi porque o motorista descobriu que eu era o Perônio", diz o ator Henrique Stroeter.

Presença constante na TV desde os anos 1980, e mais recentemente pelo *Custe o Que Custar (CQC)*, exibido na TV Bandeirantes por mais de uma década, Marcelo Tas diz que o *Castelo* é até hoje um de seus trabalhos mais reconhecidos. "Da menina que abastece meu carro quando vou pôr gasolina até a minha gerente do banco, que disse que quer uma foto com o Telekid, todo mundo me reconhece", conta Tas.

"É engraçado: às vezes, as menininhas que assistiam ao *Castelo* hoje são umas mulheronas, então vive rolando piada", avalia Tas. Para ele, a repercussão informal do *Castelo* nas ruas nega o dito de que a TV é uma "mídia sem memória". "Muitas vezes, os jovens me dizem uma coisa bonita: as mães deles deixavam que eles assistissem à Cultura sem se preocupar", diz o apresentador. "Depois, reclamam que não podem fazer o mesmo com seus filhos. É uma realidade."

Para alguns atores, a marca do *Castelo* é tão grande que acaba até eclipsando outros trabalhos. A maioria se queixa da imprensa, que parece só enxergar projetos de grande porte. "Se você não está na novela das 8, parece que não faz nada. É engraçado", diz ironicamente a atriz Cinthya Rachel, a Biba. "Me chamam de Bongô na rua, como se eu nunca tivesse feito mais nada na vida", reclama o ator Eduardo Silva. "Vivem me perguntando se eu nunca mais fiz nada. Poxa, eu fiz novelas no SBT, fiz o *Turma do Gueto* na Record, fiz um monte de peças de teatro. Parece que antes e depois do Bongô não existe Eduardo Silva", queixa-se o ator. Mas ele tem sua vingança: contar a quem pode que a Cultura não lhe paga o que seria justo.

Há quem leve a situação com bom humor e orgulho. "Recentemente, fiz uma peça da Penélope. No fim do espetáculo, juntou tanta gente pra falar comigo que parecia que eu tinha virado a Ivete Sangalo", brinca Angela Dippe. "Com a Celeste, a sensação que eu tenho é que marquei um golaço. Toda vez que eu faço a voz dela e as pessoas percebem na hora, é muito bacana", conta Álvaro Petersen Jr.

O ator Luciano Amaral talvez seja quem explica a situação do melhor jeito: "As pessoas criam o estigma de que você fica bravo se te confundem com o personagem, mas é o contrário", diz ele. "Para muita gente, eu cresci com elas, é como se eu fosse um primo. É uma relação próxima. Se a pessoa me encontra na rua, ela fica emocionada e vem me abraçar, e espera uma resposta semelhante de mim. Nunca vai ser. Mas não que eu não goste: poxa, eu fiz o *Mundo da Lua* e o *Castelo*. São dois ícones da TV brasileira, fazem parte da história. Ninguém tira isso de mim. Pode me chamar do que quiser: Lucas, Pedro, Luciano."

A repercussão informal que acompanhou os atores do *Castelo* por décadas se tornou algo mais palpável em 2014, quando o programa completou 20 anos. Primeiro, porque a Cultura decidiu voltar a exibi-lo depois de interromper suas reprises por alguns anos.

No dia 30 de junho, pouco mais de um mês depois de seu vigésimo aniversário, o *Castelo* passou a ser transmitido às 11h30 e às 19h30, em seu horário original. A ideia deu resultados positivos: já na primeira semana, o *Castelo* teve 67% a mais de audiência que seu antecessor, fazendo a Cultura saltar de 1,5 ponto para 2,5 pontos nas medições do Ibope. O retorno à grade da emissora, porém, foi uma das menores celebrações que o programa teve em 2014 – com a exposição organizada pelo MIS-SP, o sentimento de *Castelomania* voltou a atrapalhar o trânsito de São Paulo, muito tempo depois que as filas para autografar os livros da série “fecharam a Faria Lima”. As exposições subsequentes, como a do CCBB-RJ e do Memorial da América Latina, transformaram a década dos anos 2010 em uma boa oportunidade para explorar novamente a marca do *Castelo*.

Se nos anos 1990 a meta de produtos licenciados era aproveitar o coração e a mente das crianças, na década de 2010 o foco estava no bolso delas, já bastante crescidinhas. Atores como Cassio Scapin e Angela Dippe voltaram a seus antigos papéis, não só no teatro, mas até mesmo no YouTube – a intérprete de Penélope comanda hoje um canal no *site* de vídeos do Google cheio de entrevistas, inclusive com os atores do *Castelo*.

Nem tudo que reluz, porém, é feitiço do Dr. Victor. É o caso de *Castelo Rá-Tim-Bum: o Musical*, que estreou no dia 9 de setembro de 2017 no Teatro Opus, em São Paulo. Com exceção do criador de bonecos Jésus Seda, a produção não tem nenhum integrante original do *Castelo*. Criado por Juliano Marceano, com base em músicas e letras inéditas do compositor Paulo Ocanha, o espetáculo tentava ser mais do que “só um novo episódio” do programa. “O espetáculo tem uma estrutura fechada, ou seja, uma história com começo e fim”, comentou Ricardo Marques, produtor do musical e presidente da 4Act Entretenimento, produtora responsável pela peça, ao *O Estado de S.Paulo*. “Nosso desafio foi contar uma trama que também fosse interessante para quem não assistiu à série, especialmente os mais jovens.”[112]

A intenção é até boa: o musical é bem produzido, bem tocado e faz muitas referências à série, incluindo personagens como Zula, a Menina Azul. Mas não basta, uma vez que as canções de *Castelo: o Musical* ficam bem aquém do nível apresentado pela série. Enquanto as músicas originais do programa de TV misturavam diferentes gêneros, entre a música erudita, a canção brasileira e o rock, as do musical se apegam à estrutura da Broadway de refrões megalomaníacos e rimas fáceis (em pelo menos três temas é explorada a sequência de palavras "genial/especial/sensacional/fenomenal" ou similares).

A história também não ajuda: enquanto o primeiro ato serve para apresentar os personagens, incluindo até uma festa de aniversário do Nino, o segundo tenta trazer algum estofo dramatúrgico: às vésperas de completar 301 anos, Nino (Roberto Rocha) precisa se provar como feiticeiro. O garoto, porém, só quer saber de brincar com seus novos amigos Pedro, Biba e Zeca. Quando uma carta do Conselho dos Bruxos chega ao Castelo dizendo que, se Nino não fizer um feitiço em 24 horas, todos os membros da família Stradivarius (ou seja, ele próprio, Morgana e Dr. Victor) perderão seus poderes, a situação se torna dramática. Ao contrário do que acontece na série, porém, quando resultados só são recompensados por muito esforço, Nino consegue fazer seu feitiço apenas "acreditando em si mesmo", em um clichê típico de musicais.

Mais do que isso, ao tornar a magia/não magia o foco da trama, *Castelo: o Musical* deixa de lado uma das características mais importantes da série de TV: afinal, na telinha a magia era apenas um pequeno pretexto para que Nino pudesse fazer qualquer coisa, e não um fim em si. Mesmo com os raios e trovões, Dr. Victor é mais um inventor do que exatamente um grande feiticeiro. Apesar disso, a peça tem seus momentos – a cena em que Tíbio e Perônio se misturam com o Dr. Abobrinha em uma imitação do cinema mudo é interessante, bem como a sacada de Biba ao dizer que não existe brincadeira de menino ou de menina. Ainda assim, é pouco – e a impressão é que o musical é mais uma nostalgia barata em formato de modismo do que um grande esforço para lembrar os bons tempos de "morcego, ratazana, baratinha e companhia".

Nos mais de 20 anos após a produção do *Castelo*, com exposições, musical e inúmeras peças de teatro, uma pergunta deve ter ecoado na cabeça de muita gente: afinal, por que o *Castelo* nunca teve continuidade nem ganhou uma nova versão na TV?

Para Marcelo Tas, por exemplo, é uma bobagem que o programa dirigido por Cao Hamburger, bem como o *Rá-Tim-Bum* que ele ajudou a criar, tenha sido descontinuado. "O trabalho mais difícil, a criação, já foi feito. Nos Estados Unidos, isso nunca teria acontecido. O *Sesame Street* está vivo até hoje", opina o apresentador, lembrando que o programa da CTW completou 50 anos em 2019. "Já pensei em uma continuidade, algo do tipo *Novas Aventuras do Nino*, com uma pegada mais para adolescentes, com dilemas do mundo real. Seria ótimo fazer", imagina o ator Sérgio Mamberti.

Há quem sugira um *remake*. "Fazer um *Castelo* hoje é totalmente possível. Mas é preciso adaptar: o Telekid é um personagem que se fosse refeito não faria muito sentido", comenta Tas, pensando em um mundo pós-Google. A ideia, no entanto, é descartada pela maioria dos envolvidos no projeto. "Até pode ficar bom, mas seria outra coisa. Ir buscar a salvação é algo típico no brasileiro: você vê os times de futebol fazendo isso, sempre contratando craques do passado", diz Fernando Gomes. "Tentar fazer o *Castelo* de novo não rola."

Outra dúvida é se o *Castelo* consegue se manter atual no século 21, em uma época na qual a televisão é apenas uma das opções de entretenimento à mão, entre vídeos no YouTube, *games on-line* e a internet (quase) sempre disponível. Para a ex-diretora de programação infantil da Cultura, Bia Rosenberg, as mudanças tecnológicas não afetariam o *Castelo*. "Ele é atemporal, e consegue ser exibido facilmente para as crianças de hoje", afirma ela. "Há 20 anos, foi um programa inovador. E ainda é muito atual e contemporâneo em linguagem, conteúdo e estrutura", disse o diretor Cao Hamburger à *Folha de S.Paulo* quando o *Castelo* voltou à grade da Cultura, em junho de 2014[113].

"Seria uma bobagem atualizar o *Castelo*. Seus personagens são eternos, porque têm mais de um século de idade, pelo menos", avalia a pedagoga Zélia Cavalcanti. Já para a atriz Patricia Gasppar, até o ar clássico do *Castelo* auxilia o programa a se manter vivo para as gerações futuras. "É um programa com limitações técnicas, mas tem características muito interessantes. É tão fascinante quanto ver um telefone de disco ou uma máquina de escrever. Não sei que criança não conseguiria se interessar por uma máquina de escrever, com todas as suas teclas, barulhos e engrenagens", diz ela.

Para o diretor Cao Hamburger, porém, não faz sentido pensar na continuidade ou em uma sequência do *Castelo*. "O *Sesame Street* feito hoje é uma enganação. Não faz nem sombra ao que era feito nos anos 1970", diz o diretor. "A própria história do *Castelo*, que deveria ser *Rá-Tim-Bum 2* e virou outra coisa, diz que começar algo novo é muito mais legal." Talvez fosse o caso de aprender a lição com aquele garoto esperto, sozinho, que criou seu próprio feitiço para brincar e, ao final de tudo, ainda disse:

— Tchau não! Até amanhã!

Apêndice 1 – Por que o Castelo deu certo? E por que nada mais deu certo depois?

Antes de ser um livro, *Raios e trovões* nasceu em 2014 como um trabalho de conclusão de curso – mais especificamente, a graduação do autor em Jornalismo pela Escola de Comunicações e Artes da Universidade de São Paulo (ECA-USP). Desde o primeiro instante do trabalho, quando ele ainda era uma ideia, as duas perguntas acima nortearam sua construção. Afinal, como a Cultura conseguiu fazer tantos programas bacanas entre 1986 e 1994, em um dos piores períodos de crise econômica do Brasil? E por que depois isso não se repetiu?

É difícil responder à primeira pergunta sem considerar a segunda parte de sua resposta. Por diversos fatores, o *Castelo* esteve, roubando aqui um conceito da química, em um ponto ótimo da TV Cultura – havia recursos, havia *expertise*, havia grade de programação e vontade para as coisas acontecerem. Mas isso tudo poderia ter tido continuidade – a existência de um projeto como *Boys Heróis* é prova – e o *Castelo* seria lembrado como só "mais um" programa da emissora da Água Branca, assim como *Rá-Tim-Bum*, *Mundo da Lua* e *X-Tudo*, para ficar em três exemplos.

O aspecto econômico também é um fator importante: em tempos de inflação galopante, mercado congelado e incerteza sobre o futuro, a Cultura foi capaz de produzir muito. Quando a situação brasileira se resolveu, a partir de 1994, com o Plano Real, a emissora entrou numa espiral descendente. Pode parecer paradoxal, mas começa aí a explicação: enquanto Fernando Henrique Cardoso assumiu a presidência, munido de uma política neoliberal que pregava a responsabilidade fiscal, seu colega de partido Mário Covas passou a comandar o estado de São Paulo. O corte no orçamento da TV Cultura, logo no início da gestão de Covas, em 1995, foi um grande abalo para uma emissora que dependia muito dos repasses vindos dos cofres públicos.

Era algo de que o presidente Roberto Muylaert tinha ciência – não à toa, um de seus maiores trunfos no comando da Fundação Padre Anchieta era justamente a instituição do "apoio cultural" cedido por empresas e entidades à emissora. O orçamento do *Castelo* e quanto dele foi pago pela Fiesp, depois de outros dois programas auxiliados pela mesma entidade, mostram o auge disso. No entanto, a licença de Muylaert para cuidar da campanha de Fernando Henrique e sua posterior saída para ser secretário de Comunicação Social geraram uma descontinuidade na gestão da Cultura: era ele, Muylaert, que tinha proximidade com os empresários para conseguir fechar as parcerias. Com elas, talvez a Cultura pudesse ter mantido ao menos parte de suas produções em pé, mesmo com os cortes feitos pela gestão tucana à frente do governo estadual. Já Jorge da Cunha Lima, mais enfronhado no mundo político-cultural do que no contexto do PIB brasileiro, conseguiria fazer pouco nesse aspecto.

O corte no orçamento gerou dois outros problemas para a Cultura. Antes mesmo de Cunha Lima assumir, a emissora teve de passar por um programa de demissão voluntária – o que levou embora da Água Branca diversos talentos que fizeram parte da década anterior de produções bem-sucedidas, como o artista plástico Silvio Galvão. Um cenário de redução de vagas também torna um lugar que era conhecido pelo alto-astral em um ambiente negativo – o que motiva pouca gente a trabalhar e se dedicar horas além da jornada em prol de um bem maior.

Sem dinheiro nos cofres, a saída encontrada por Cunha Lima a partir de 1995 foi abrir as portas da emissora para a publicidade e o licenciamento de produtos. Sem planejamento específico e acurado, no entanto, essas duas práticas acabaram não só por não ajudar a emissora a resolver seu problema financeiro como também geraram críticas à forma como a Fundação Padre Anchieta teria "se vendido" ao mercado ou simplesmente desprezado os interesses maiores de uma emissora pública. Pior: ao sofrer críticas, a Cultura de certa forma perdeu o *status* de que gozava na década anterior, o que ajudou a justificar sucessivos cortes em seu orçamento.

É injusto, porém, dizer que a Cultura não tentou produzir conteúdo infantil nas décadas seguintes ao *Castelo*: além de *Cocoricó* e *Ilha Rá-Tim-Bum*, citados aqui, a emissora teve projetos como uma reedição de *Vila Sésamo*, a mesa-redonda esportiva infantil *Cartãozinho Verde* e o *Quintal da Cultura*. Muitos desses programas foram viabilizados graças ao esforço pessoal de alguns nomes – em especial, o de Fernando Gomes, que de bonequeiro passou a diretor de programação infantil da emissora a partir da década de 2000.

Nem mesmo a vontade de fazer, porém, seria suficiente: em 2013, durante a gestão Marcos Mendonça, a Cultura encerraria o departamento de Programação Infantil. No ano seguinte, outro golpe colocou uma última pá de cal nessa estrutura: a resolução 163 do Conselho Nacional dos Direitos da Criança e do Adolescente (Conanda), órgão ligado à Presidência da República. Na decisão, o órgão proibia publicidade direcionada aos cidadãos brasileiros menores de 18 anos, alegando que ela violava artigos do Estatuto da Criança e do Adolescente (ECA), do Código de Defesa do Consumidor (CDC) e da própria Constituição Federal.

O que deveria beneficiar os pequenos foi, ao menos para a TV infantil, um tiro pela culatra: sem poder anunciar seus produtos, a maioria das marcas deixou de se interessar por apoiar iniciativas de produção de conteúdo para crianças – e a Cultura, mesmo já sem seu poder de fogo de outrora, perdeu a oportunidade de fazer caixa, e, de alguma forma, continuava criando projetos infantis.

Se do ponto de vista da produção seria difícil igualar as condições de produção do *Castelo* após 1994, do lado da audiência seria mais complexo ainda. Na época da estreia do programa, a TV aberta ainda reinava praticamente sozinha nesse assunto, rivalizando de longe com o cinema e com as locadoras de vídeo – a TV por assinatura, fosse via cabo ou satélite, ainda demoraria um tempo para se tornar um meio com representatividade própria. No entanto, quando isso passou a acontecer, entre o final dos anos 1990 e meados dos anos 2000, a programação infantil passou a se pulverizar entre os dois meios.

Um bom exemplo talvez seja o da Nickelodeon, antiga parceira da Cultura em desenhos como *Doug* e *Rugrats*. Depois da aliança inicial, a companhia americana começou a entender o mercado brasileiro e, à sua maneira, criou um canal de TV por assinatura em dezembro de 1996. Na sequência, o pacto com a Cultura foi perdendo força.

Além disso, o surgimento de uma meia dúzia de canais pagos diversificou a programação. O Discovery Kids, por exemplo, focava nas crianças bem pequenas, em idade pré-escolar; já a Nickelodeon era mais universal, trafegando com facilidade entre bebês e pré-adolescentes – o mesmo valia para o Fox Kids. Enquanto isso, o Cartoon Network, com animações antigas da Hanna-Barbera (*Os Flintstones, Os Jetsons*), desenhos japoneses (*Pokémon, Dragon Ball*) e produções próprias (*A Vaca e o Frango, As Meninas Superpoderosas, O Laboratório de Dexter*), falava com os mais crescidos, dos 6 aos 14 anos.

A própria Cultura tentou surfar a onda da TV paga a partir 2004. Idealizada durante a gestão Cunha Lima e inaugurada no primeiro ano do mandato de Marcos Mendonça, a TV Rá-Tim-Bum é um canal por assinatura que, ao menos no papel, transmite 100% de programação infantil ou voltada para pais, com produções exclusivamente brasileiras. A ideia sofreu críticas desde o início – para que investir dinheiro público em um produto que só poderia ser acessado pela elite? "A programação pode ser ótima, mas não dá acesso a todos. A população da periferia pode não ter a chance de assistir ao canal", questionou o professor Laurindo Leal Filho, da ECA-USP.[114] Já para Beth Carmona, a promessa do canal de produzir e oferecer apenas conteúdo nacional é dificílima de ser cumprida. "Durante um bom tempo, e até hoje, a programação do canal se baseia em reprises da TV Cultura. É complicado."

Quem melhor percebeu o poder da segmentação foi a todo-poderosa Disney: hoje, ela tem no país diversos canais, prontos para agradar dos pequeninos (Disney Junior) aos adolescentes (Disney XD). Fundado em fevereiro de 2005 pelo trio Chad Hurley, Steve Chen e Jawed Karim, o *site* de vídeos YouTube radicalizaria essa diversificação: com o serviço, qualquer pessoa pode produzir os próprios vídeos e publicá-los na internet. Pouco mais de um ano e meio após sua fundação, o serviço acabou sendo comprado pela Google por US$ 1,65 bilhão, em uma das maiores transações da história na época para uma *startup*.

O serviço ganhou adeptos em todo o mundo. Entre eles, uma dupla de produtores de São Paulo, Juliano Prado e Marcos Luporini, que usou o *site* para publicar o vídeo de uma animação criada para um projeto de um programa de TV do qual estavam participando. Morando no interior do estado, os dois resolveram usar a rede para mostrar o resultado do projeto, mesmo sem poder comparecer fisicamente à reunião. A proposta para o programa não vingou, mas a dupla se esqueceu de tirar o vídeo do ar. Meses depois, ao consultar seu canal, descobriram que o vídeo havia sido visto mais de 500 mil vezes. Nascia ali a Galinha Pintadinha, o primeiro fenômeno de massa do YouTube brasileiro – e o remédio preferido de muitos pais para acalmar seus filhos em situações de crise, choro e gritaria.

Em dez anos, a empresa fundada por Prado e Luporini vendeu 450 mil DVDs, se tornou o primeiro canal do país a ter 1 bilhão de visualizações, teve seus vídeos traduzidos para inúmeros idiomas e gerou um sem-número de produtos licenciados. "É só um vídeo do YouTube, mas também é um fenômeno de audiência que ficou fora da briga de TV aberta ou TV paga. A Pintadinha mostra que as crianças hoje têm muitas opções além de ficar na frente da televisão", diz Beth Carmona, que após deixar a Cultura, em 1997, passou por canais pagos como Disney e Discovery Kids.

A Pintadinha, porém, é apenas um dos muitos casos de sucesso do vídeo pela internet, que também deixou os monitores dos computadores e hoje pode ser assistido nas telinhas de cinco polegadas dos celulares ou em TVs com mais de 100 polegadas. A partir de 2010, uma explosão de personagens ganhou seu lugar ao sol justamente pela web, sem precisar necessariamente fazer o caminho tradicional da difusão por ondas eletromagnéticas exclusivas. Um bom exemplo, porém, é o de um programa que chegou primeiro à TV aberta: *Que Monstro Te*

Mordeu?, criado por Cao Hamburger, financiado por uma parceria com o Serviço Social da Indústria (Sesi) e exibido pela Cultura em 2014. Na emissora da Água Branca, o programa fez pouco barulho – mas ganhou vida extra e fãs cativos ao ser disponibilizado no serviço de *streaming* de vídeo pago Netflix.

Fundada em 1997 pelos empreendedores Reed Hastings e Marc Randolph, a Netflix começou como uma locadora de filmes on-line. Sem grande sucesso, a empresa criou dois anos depois um serviço de assinatura mensal: por uma taxa fixa, o usuário poderia escolher quantos DVDs quisesse assistir – e, ao devolvê-los, tinha a chance de escolher novos títulos. O modelo deu certo, e acabou evoluindo para a internet em 2007: oferecido inicialmente como um adicional do plano de envio de DVDs, o serviço de *streaming* permitia que qualquer pessoa com uma boa conexão assistisse aos filmes em casa, por uma módica taxa mensal. Após parcerias com fabricantes de eletrônicos, a empresa ganhou espaço e chegou ao Brasil em 2011. A última peça do quebra-cabeça seria inserida em 2013, quando a Netflix começou a produzir seus filmes e séries, deixando de ser só uma parceira para Hollywood, mas também competindo com ela.

Mais do que simplesmente trazer novos programas à tona, plataformas como Netflix ou a brasileira PlayKids, para ficar em apenas dois casos, também mudaram o hábito de consumo do pequeno telespectador: se o vídeo é por demanda, é possível escolher o que se quer assistir a qualquer minuto – sem precisar esperar o horário de uma reprise na TV. Com isso, todo o conceito de uma grade de programação caiu por terra: a criança pode ver o que quiser, quando quiser e, evidentemente, quantas vezes quiser. "A gente não sabe nada das crianças: elas estão num mundo maravilhoso", diz Marcelo Tas. "No final dos anos 2000, meu filho Miguel tinha 8 anos. Um dia ele veio me perguntar o que era a Globo. Ele não sabia o que era. A TV evidentemente precisa entender que ela não fala mais sozinha."

O mesmo controle que a criança tem sobre o que quer assistir, na internet, também pode ser dado aos pais, colocando a atenção dos filhos em um "cercadinho seguro" na rede – sem propagandas nem risco de um conteúdo voltado para o público adulto se infiltrar nos comerciais entre um desenho e outro. Assim, a confiável babá eletrônica que um dia foi a TV Cultura hoje lembra com saudade de seus antigos "bebês". Nos últimos anos, a emissora continua mantendo boa parte de sua grade voltada para as crianças, com cerca de 70 horas semanais de programação – é até mais do que o que ela tinha em 1994, quando exibia cerca de 40 horas por semana para os pequenos.

O problema é a companhia: quando o *Castelo* estreou, apenas a Bandeirantes não tinha um programa infantil em sua grade de segunda a sexta-feira entre as emissoras de TV aberta em São Paulo – todas as outras dedicavam pelo menos 90 minutos aos pequenos, quando não manhãs ou tardes inteiras. A vasta maioria dos programas exibidos pela Cultura hoje, porém, é de reprises da própria emissora, produções estrangeiras licenciadas ou de atrações nacionais feitas por produtoras independentes.

Não é à toa que a Fundação Padre Anchieta praticamente caminha sozinha no campo da programação infantil na TV aberta: a Globo, por exemplo, deixou de lado as loiras Xuxa e Angélica ou as animações do TV Globinho para investir em uma programação calcada em comportamento, bem-estar e infoentretenimento. O mesmo vale para Record e Bandeirantes, que também fizeram apostas semelhantes a partir dos anos 2000. Além de ser um conteúdo caro de produzir, programas infantis ainda são pouco rentáveis pela ausência de interesse do mercado publicitário, devido à decisão do Conanda de 2014.

A única exceção fica por conta de Silvio Santos, que, vez por outra, ainda tem desenhos importados, o onipresente seriado mexicano *Chaves* e programas com apresentadores mirins fazendo sorteios de desejados brinquedos, bicicletas e videogames – entre eles, o inevitável "Preisteition". "Não dá para chamar de programação infantil uma atração que põe uma criança fazendo promoções e chamando desenhos animados", avalia Fernando Gomes. "Isso não é produção infantil."

Responder por que o *Castelo* deu certo é bem mais divertido do que falar sobre a tragédia da TV. Seria tolo, porém, pensar que o sucesso e o legado do programa criado por Cao Hamburger e Flavio de Souza são fruto de uma conjunção especial dos astros ou de feitiçaria barata. Alguns desses fatores já foram amplamente discutidos neste livro. Caso dos apoios culturais conquistados por Roberto Muylaert. Ou da força da grade de programação concebida por Beth Carmona, que não só marca a Cultura como um espaço de produção voltada para o público infantil, mas também cria uma escalada de audiência, que começava no meio da tarde e seguia até o horário do *Castelo*, às 19h30.

Outras duas questões de peso são a experiência e a experimentação realizadas pelos profissionais que fizeram o *Castelo* em projetos anteriores da TV Cultura – afinal de contas, pouquíssimos participantes do projeto não haviam passado pelos portões da rua Cenno Sbrighi antes do *Castelo*. Outro fator menor, mas bastante importante, é a noção de que o *Castelo* foi feito por, em sua maioria, uma série de "filhos da televisão" – a presença dos cinco convidados semanais, por exemplo, é uma influência direta do *Batman* que Cao Hamburger via quando era criança. É natural que quem tenha crescido na frente da "babá eletrônica" com programas como os desenhos da Hanna-Barbera, seriados como *Jeannie é um Gênio e Agente 86* ou a primeira versão do *Vila Sésamo* tenha uma noção mais completa de como construir narrativas, planos e efeitos dentro da atmosfera televisiva.

Um aspecto curioso é a quantidade considerável dos profissionais do *Castelo* que foi formada em um mesmo local, entre o começo dos anos 1970 e o final dos anos 1980: a Universidade de São Paulo. Na parte criativa e executiva do *Castelo*, Flavio de Souza, Cao Hamburger, Anna Muylaert, Philippe Barcinski, Bia Rosenberg e Beth Carmona passaram pelos cursos de Cinema e Rádio e TV da Escola de Comunicações e Artes (ECA), hoje unidos no Curso Superior do Audiovisual. Parte significativa dos atores do *Castelo*, por sua vez, é egressa do curso da Escola de Artes Dramáticas (EAD): Cassio Scapin, Rosi Campos, Pascoal da Conceição, Patricia Gasppar, Sérgio Mamberti e Wagner Bello estão entre eles, além do figurinista Carlos Alberto Gardin, que depois de uma experiência como autodidata no Ballet Stagium fez um rápido curso de figurino na escola.

Além de todos eles, o ator Eduardo Silva se formou em Biologia pela USP e Marcelo Tas, pela Escola Politécnica — Tas também fez dois anos do curso de Rádio e TV, mas não concluiu a graduação. Longe do *Castelo*, mas importantes para essa história, nomes como Fernando Meirelles e Paulo Morelli, ambos da Olhar Eletrônico, também se formaram na USP. Talvez seja apenas uma coincidência, mas, como diria Albert Einstein, "Deus não joga dados".

Mais do que simplesmente uma linha em comum no currículo, a presença de diversos envolvidos com o *Castelo* no ambiente da Universidade de São Paulo entre as décadas de 1970 e 1990 ajudou o programa a ter profissionais criados em uma mesma atmosfera intelectual, voltados para uma produção de qualidade, com fins educativos e de transformar o Brasil em um país melhor. No entanto, talvez esse seja apenas o inconsciente coletivo de uma época – uma vez que esse pensamento está presente também em gente que não chegou a completar um curso de ensino superior, como o autodidata artista plástico Silvio Galvão, ou que não passou pela USP, como o bonequeiro Fernando Gomes.

Nenhum desses motivos, no entanto, seria suficiente não fosse a equipe responsável pelo *Castelo*, um grupo de 250 pessoas envolvidas na realização de um programa especial. Em quase todas as entrevistas, palavras como "vontade", "compromisso" e "sacrifício" foram utilizadas de maneira ampla ao descrever as razões por que o *Castelo* se tornou um sucesso em sua época e sobreviveu ao tempo. Apesar de o processo de criação ter sido capitaneado pelo roteirista Flavio de Souza e pelo diretor-geral Cao Hamburger, tudo seria diferente não fosse o *Castelo* uma criação coletiva, de uma equipe jovem e com vontade de ousar e executar algo grandioso. Sem ambições exageradas: apenas fazer um programa que enfeitiçasse os brasileiros. É como diz a canção de Wandi Doratiotto: "Fazendo tudo com carinho, vai acontecer".

Apêndice 2 – Que fim levou?

Ao longo da pesquisa para este livro, não poucas vezes encontrei matérias na internet e vídeos de programas de TV que buscavam contar o que os atores e criadores do *Castelo* fizeram depois da realização do programa. Em boa parte das ocasiões, entretanto, achei informações desconexas e desmentidas pelos próprios profissionais nas entrevistas, que, às vezes, também se mostraram descontentes com esse tipo de abordagem por parte da mídia. Para saciar a curiosidade do leitor e, de alguma maneira, compor um panorama do que o *Castelo* gerou para seus principais envolvidos, resolvi acrescentar como apêndice esta pequena seção ao livro.

Cao Hamburger: depois de realizar o *Castelo* na TV e no cinema, Cao Hamburger dividiu sua atenção entre esses dois meios audiovisuais. Nos anos 1990, trabalhou na produtora Ragdoll, responsável pelos *Teletubbies*. Ao retornar ao Brasil, começou sua carreira como cineasta. Além do filme do *Castelo*, Hamburger é o diretor de *O ano em que meus pais saíram de férias*, um drama sobre a ditatura militar no Brasil, e de *Xingu*, sobre a expedição indianista dos irmãos Rondon. Na televisão, realizou a prestigiada série *Filhos do Carnaval*, para a HBO, além de participar da produção do *Disney Club*, de *Um Menino Muito Maluquinho* e da série adolescente *Pedro & Bianca* — primeira produção da Cultura a vencer um Emmy. Em 2012, ele foi o diretor da parte brasileira da cerimônia de enceramento da Olimpíada de Londres, e, em 2014, estreou *Que Monstro Te Mordeu?*, nova superprodução infantil exibida pela TV Cultura. Entre 2017 e 2018, dirigiu "Viva a Diferença", uma das mais elogiadas temporadas de *Malhação*, novela vespertina da Globo. Em 2019, a produção rendeu a Cao seu segundo Emmy Internacional.

Entrevista realizada ao vivo, no escritório de Cao Hamburger, na Vila Madalena.

Flavio de Souza: o outro pai do *Castelo* dedicou sua carreira à TV, ao cinema e ao teatro. Além de escrever peças sobre o *Castelo*, Flavio foi roteirista do *Sai de Baixo*, seriado de humor da Globo que marcou época nos anos 1990, e dos filmes de Xuxa e Renato Aragão. Na TV, criou *Ilha Rá-Tim-Bum*, além de assumir a criação do *TV Xuxa* a partir de 2005. Hoje, o roteirista reside em Curitiba e segue escrevendo roteiros e livros infantis. Além disso, tem seu próprio canal no YouTube.

Entrevista realizada por telefone, em DDD São Paulo-Curitiba.

Anna Muylaert: filha do presidente Roberto Muylaert, Anna teve no *Castelo* o início de uma carreira bem-sucedida como roteirista e diretora de cinema e TV. Na telona, ela dirigiu *Durval Discos*, *É proibido fumar* e *Chamada a cobrar*, três interessantes filmes do período da retomada do cinema nacional. Como roteirista, colaborou ainda com *Desmundo*, *O ano em que meus pais saíram de férias* e *Xingu*. Em 2015, lançou o filme *Que horas ela volta?*, em que fala sobre o drama de uma empregada doméstica que deixou uma filha para trás antes de se mudar para São Paulo. O longa-metragem venceu prêmios no Festival de Sundance e é considerado por críticos um dos melhores retratos da transformação do Brasil durante os governos do PT, entre 2003 e 2016. Depois de *Horas*, Anna também lançou outro belo filme, *Mãe só há uma*.

Entrevista realizada por telefone, em São Paulo.

Cassio Scapin: eternamente Nino, Cassio Scapin viu frutos de seu trabalho como o aprendiz de feiticeiro no teatro, em diversas peças, nas últimas duas décadas. Scapin, no entanto, não gosta de ser lembrado pelo papel que o eternizou, e protagonizou peças como *O mistério de Irma Vap*, *O libertino* e *Memórias póstumas de Brás Cubas*. Na TV, Scapin fez ainda diversos trabalhos na TV Record, como as novelas *Caminhos do Coração* e *Os Mutantes*. Após a exposição do *Castelo* no

MIS, voltou a apresentar-se no teatro como Nino, em peças como *Admirável Nino novo*.

Sérgio Mamberti: antes do *Castelo*, Mamberti já tinha uma carreira de peso: participou de filmes como *O bandido da luz vermelha, Toda nudez será castigada* e *A dama do Cine Shanghai*, além da novela global *Vale Tudo*. Fundador do Partido dos Trabalhadores (PT), o ator dedicou boa parte de seu tempo nos últimos 20 anos trabalhando pela cultura do Brasil. Durante o governo Lula, foi secretário da Identidade e da Diversidade Cultural, órgão ligado ao Ministério da Cultura, e presidente da Fundação Nacional das Artes (Funarte). Como ator, participou de diversas novelas da Globo, incluindo *O Astro* e *Estrela Guia*. Em 2014, Mamberti foi o coordenador da área de Cultura da campanha de Alexandre Padilha (PT) ao governo do Estado de São Paulo. Dois anos depois, atuou em *3%*, primeira produção original do serviço de *streaming* Netflix no Brasil.

Entrevista realizada ao vivo, na casa de Sérgio Mamberti, no bairro da Bela Vista.

Rosi Campos: a intérprete da Bruxa Morgana também dedicou sua carreira ao teatro e à televisão. Integrante dos históricos grupos Ornitorrinco e Mambembe, Rosi venceu o prêmio Apetesp por *Ela pensa que é normal*. Na televisão, participou de novelas como *América* e *Salve Jorge*, da dramaturga Glória Perez, além de ter feito a inesquecível Mamuska, em *Da Cor do Pecado*. Nos últimos anos, também esteve nas novelas da 7 *Geração Brasil* e *O Tempo Não Para,* e no seriado do canal Multishow *Lili, a Ex*, baseado nas histórias em quadrinhos de Caco Galhardo.

Luciano Amaral: após o *Castelo*, o intérprete do Pedro trocou a atuação pelo papel de apresentador. Ele fez o *Turma da Cultura* em 1997, e, depois de se formar em Rádio e TV pela Universidade Metodista de São Paulo, Luciano começou a apresentar programas para jovens e sobre videogames na TV Bandeirantes (*G4 Brasil*, em 2003). Hoje, é uma das principais referências do jornalismo de *games* no Brasil. Foi apresentador e diretor artístico da PlayTV e, depois, editor-chefe do *The Enemy*, *site* de *games* do grupo Omelete. Hoje, é apresentador do canal esportivo ESPN Brasil.

Entrevista realizada ao vivo, na sede da PlayTV, na Lapa paulistana.

Cinthya Rachel: depois de dividir a apresentação de *Turma da Cultura*, Cinthya continuou sua carreira também como apresentadora. Na TV Record, ela foi repórter do *Domingo da Gente*, programa do cantor Netinho de Paula, e, posteriormente, exerceu a mesma função em atrações de Eliana e Raul Gil. Em 2013, Cinthya foi uma das estrelas do *Cozinha Amiga*, programa culinário da TV Gazeta. Hoje vive em Buenos Aires e mantém um canal no YouTube.

Entrevista realizada por e-mail.

Fredy Állan: mais novo do trio de crianças do *Castelo*, Fredy Állan foi o único dos três que seguiu carreira como ator. Depois de participar do seriado *Vila Esperança*, da Rede Record, se voltou para o teatro, tendo como destaque sua participação nas peças d'*Os sertões* do Teatro Oficina, dirigido por Zé Celso Martinez Corrêa.

Angela Dippe: muito diferente de sua personagem no *Castelo*, Angela Dippe esteve em *Ilha Rá-Tim-Bum* como a aranha Nhã Nhã Nhã, além de participar de novelas da Globo como *Avenida Brasil* e *Amor à Vida*. A atriz, no entanto, ganhou destaque ao ser uma das estrelas do *Terça Insana*, um dos primeiros espetáculos de humor *stand-up* a ter notoriedade em São Paulo. Em 2014, Dippe correu o Brasil (e Portugal) com duas de suas peças: *Penélope*, baseada na repórter do *Castelo*, e o espetáculo de humor *O Barril*. Em 2016, foi uma das principais personagens da série da HBO *O Homem da Sua Vida*, produzida no país.

Entrevista realizada ao vivo, no Violeta Bar, na rua Augusta.

Wagner Bello: uma das maiores promessas do *Castelo*, Wagner Bello não teve tempo de aproveitar o sucesso que Etevaldo lhe renderia. Ele morreu por uma parada cardiorrespiratória em agosto de 1994, em decorrência de complicações causadas pelo HIV.

Pascoal da Conceição: além de ficar conhecido como o Dr. Abobrinha, Pascoal da Conceição leva consigo outro papel importante: o do escritor Mário de Andrade, a quem interpretou nas minisséries *Um Só Coração* (2004) e *JK* (2006). Pascoal também acumula longa carreira no teatro, com participações no Teatro Oficina (*As bacantes*, de Eurípedes) e em peças que tiveram sucesso de crítica e de público nos anos 2000, como *Os sete afluentes do Rio Ota*. Também é atuante na vida pública – na década de 2010, usou diversas vezes o personagem do Dr. Abobrinha para se manifestar em causas políticas, como a aprovação do Plano Diretor da cidade de São Paulo ou a favor da campanha de Fernando Haddad (PT) à Presidência da República, em 2018.

Entrevista realizada ao vivo, no Centro de Memória do Circo (na Galeria Olido, centro de São Paulo).

Patricia Gasppar: filha do jornalista Mário Gaspar, Patricia se dedicou ao teatro após o *Castelo*, seja com textos próprios (*Futilidades públicas*) ou em montagens de Shakespeare (*Ricardo III*, em 2006) e Lygia Fagundes Telles (*As meninas*, em 2010). Na TV, Patricia participou de novelas do SBT e do seriado *Copas de Mel*, exibido no Fantástico e criado por Denise Fraga e José Roberto Torero. No cinema, fez parte de *Domésticas*, filme que deu início à carreira cinematográfica de Fernando Meirelles.

Entrevista realizada ao vivo, na casa de Patricia Gasppar, no Itaim.

Eduardo Silva: professor e biólogo, Eduardo Silva foi professor no cursinho do Anglo, um dos mais famosos de São Paulo, até o começo dos anos 2000, conciliando a orientação de alunos para o vestibular com sua carreira de ator. Ele foi um dos principais nomes de *Turma do Gueto*, seriado da TV Record de 2003, e, no teatro, fez peças de

Shakespeare com o grupo Ornitorrinco, de Cacá Rosset. Em 2016, Silva participou de *3%*, primeira produção original do serviço de *streaming* Netflix no Brasil.

Entrevista realizada por telefone.

Fernando Gomes: o homem que deu voz e alma ao Gato Pintado, ao Relógio, ao Fura-Bolos e ao Júlio do *Cocoricó* é hoje uma referência quando se fala em manipulação de bonecos no Brasil, tendo sido o escolhido para interpretar o Garibaldo na versão de 2007 de *Vila Sésamo*. Além disso, Gomes também dirigiu o *Ilha Rá-Tim-Bum* e se tornou diretor de programação infantil da Cultura até 2013, quando foi demitido pela gestão de Marcos Mendonça. Na década de 2010, fez diversos programas para a TV paga e hoje se dedica ao canal do Júlio no YouTube.

Entrevista realizada ao vivo, na casa de Fernando Gomes, no bairro de Pinheiros.

Cláudio Chakmati: criador da personalidade do Mau e do Porteiro do *Castelo*, Chakmati também foi outro que não conseguiu aproveitar o sucesso da série de TV. Depois de participar do *Agente G*, da TV Record, Chakmati se mudou para a ilha de Bali no final de 1995, e lá morreu em 1997, vítima de uma parada cardíaca.

Álvaro Petersen Jr.: "Nooooooooooooooossa!" Alma da Celeste e do Godofredo, o eterno ajudante do Mau, Álvaro Petersen Jr. faria a índia Oriba do *Cocoricó*, executando diversos projetos com bonecos nas últimas duas décadas. Além de lançar discos como cantor, Álvaro também foi professor de direção de arte da Universidade Metodista de São Paulo, dentro do curso de Rádio e TV. Hoje, dá aulas na Unesp, em Araraquara, interior de São Paulo.

Entrevista realizada ao vivo, na sala de aula de Álvaro na Universidade Metodista.

Jésus Seda: formado em Teatro no Conservatório Carlos Gomes, o bonequeiro Jésus Seda sempre ficou atrás das câmeras, criando bonecos para o *Castelo*, o *Bambalalão* e diversos programas como o *Zuzubalândia* e a *TVzinha Pão de Açúcar*. Hoje, é diretor de teatro e participou ativamente da construção e da restauração de objetos para a exposição do *Castelo* no Museu da Imagem e do Som de São Paulo. Participou também da concepção do musical do *Castelo*, em 2017.

Entrevista realizada ao vivo, nos bastidores da exposição do *Castelo*, no MIS.

Luciano Ottani: menino-prodígio da turma dos bonequeiros, Luciano Ottani foi o responsável pela Adelaide no *Castelo*. Depois do programa, embarcou para Portugal e lá se estabeleceu como um dos principais diretores de publicidade em terras lusitanas, sendo o responsável pelo estúdio Mola, em parceria com o brasileiro Alexandre Montenegro. Na terrinha, criou programas como *Dr. Cobaia e Luvinha* e *Um Dó Li Tá*.

Entrevista realizada por e-mail, em conexão Brasil-Portugal.

Luiz Macedo: produtor do CD do *Castelo* e trilheiro do programa de TV, Luiz Macedo abriu em 1995 a Jukebox, estúdio para gravação de *jingles* publicitários. Ainda à frente da empresa, Macedo também se dedicou a gravar dois discos solo: *Bossa Eletromagnética*, de 2001, e *Orchestra Eletromagnética*, de 2014, com participações de Skowa, André Abujamra e membros do antigo grupo Língua de Trapo.

Entrevista realizada por telefone.

Hélio Ziskind: veterano das trilhas de abertura da TV Cultura e do Grupo Rumo, Hélio Ziskind descobriu no sucesso do CD do *Castelo* um caminho possível para sua carreira. Em 1997, ele gravou *Meu Pé, Meu Querido Pé*, álbum que trazia apenas suas canções para a TV Cultura, e não pararia mais, sendo hoje um dos principais cantores dedicados à música para crianças no país, ao lado do Palavra Cantada, de Adriana Calcanhotto e do Pato Fu. Além disso, é bastante ativo como compositor de *jingles*, sendo responsável por temas para marcas como Johnson & Johnson e Ultragaz – sim, a música do caminhão de gás que foi sampleada em um *funk* é dele.

Entrevista realizada ao vivo, no estúdio de Hélio Ziskind, no Sumaré.

Júlia tavares: uma das coadjuvantes mais lembradas do *Castelo* como Zula, a Menina Azul, Júlia Tavares não seguiu carreira como atriz. Depois de se formar em Jornalismo pela ECA-USP no começo dos anos 2000, Júlia trabalhou na Rede Minas e na Organização das Nações Unidas, em São Paulo. Hoje, mora no Rio de Janeiro e atua em uma organização do terceiro setor (ONG).

Entrevista realizada por telefone.

Regina Soler: assistente de Fernando Rodrigues de Souza e Cao Hamburger durante o *Castelo*, Regina Soler foi diretora do *Disney Club* em sua segunda fase, além de colaborar como roteirista do *Cocoricó* e de *Vila Sésamo*, na versão de 2007. Ela também fez uma dissertação de mestrado sobre o *Castelo*, intitulada *Televisão e infância: a autofagia na criação*, com orientação do professor Arlindo Machado. Depois de se tornar mestre, foi professora de Telejornalismo da Faculdade Cásper Líbero. Em 2017, Regina morreu em decorrência de um câncer.

Entrevista realizada ao vivo, na biblioteca da Faculdade Cásper Líbero.

Philippe Barcinski: depois de ser o estagiário e braço direito de Cao Hamburger no *Castelo*, Philippe Barcinski deu início a uma bem-sucedida carreira como cineasta. São dele os curtas *Palíndromo*, vencedor no Festival de Gramado de 2001, e *A janela aberta*, indicado à Palma de Ouro de melhor curta-metragem no Festival de Cannes de 2003. Em longas-metragens, Barcinski realizou os bem criticados *Não por acaso* (2007) e *Entre vales* (2012). Na TV, foi o diretor de dois episódios da série *Cidade dos Homens* e assinou a supervisão de direção de *Que Monstro Te Mordeu?*. Além disso, foi um dos diretores da novela *Velho Chico*, da Globo (2016), e da série *Carceireiros* (2018-2019).

Entrevista realizada ao vivo, na produtora que finalizava *Que Monstro te Mordeu?*, no Sumaré.

Bia Rosenberg: depois de coordenar a programação infantil da Cultura por mais de 20 anos, Bia Rosenberg se tornou, ao lado de Beth Carmona, uma das principais ativistas pela televisão infantil de qualidade no Brasil. Em 2008, ela publicou o livro *A TV que seu filho vê*, com dicas para pais que desejam entender como utilizar a babá eletrônica do melhor jeito possível. Desde 2009, está à frente da BR4 Comunicações, empresa que produz conteúdo para crianças. Em 2014, foi uma das responsáveis por *O Igarapé Mágico*, série de animação da TV Brasil. Em 2019, lançou AUTS, misto de *app*, *site* e série infantil.

Entrevista realizada ao vivo, no Museu da Imagem e do Som de São Paulo.

Silvio Galvão: depois de deixar a Cultura em 1994, Silvio Galvão participou do filme do *Castelo Rá-Tim-Bum* e se tornou um dos principais brasileiros a dominar a técnica do *mock-up*, trabalhando em revistas como a *Veja*. Em seu ateliê, na Mooca, Silvio também constrói maquetes, esculturas e objetos cenográficos para diversos fins — um de seus principais trabalhos são os arranjos de Natal do Conjunto Nacional, em São Paulo.

Entrevista realizada ao vivo, no ateliê de Silvio Galvão, na Mooca.

Zélia Cavalcanti: pedagoga responsável pelo conceito construtivista que deu base ao *Castelo*, Zélia Cavalcanti trabalhou por 35 anos na Escola da Vila, uma das mais conceituadas escolas de São Paulo. Segue atuando na educação.

Entrevista realizada por e-mail.

Carlos Alberto Gardin: figurinista do *Castelo*, Carlos Alberto Gardin voltou sua carreira para o mercado de publicidade após o *Castelo*, trabalhando em parceria com o diretor Fernando Meirelles na O2 Filmes. Entre as campanhas que realizou, estão a da Brastemp (aquela do slogan "Não é uma Brastemp") e a da operadora Vivo com Pelé. No cinema, Gardin foi um dos responsáveis pelo elogiado visual do filme *Ensaio sobre a cegueira*, dirigido por Fernando Meirelles em 2008, e por *Crô: o filme*, com a participação de Marcelo Serrado, em 2013. Também participou da concepção do figurino de musicais como *A Bela Adormecida* e *O Mágico de Oz*.

Entrevista realizada ao vivo, no apartamento de Gardin na avenida Rio Branco, centro de São Paulo.

Claudia Dalla Verde: roteirista do *Rá-Tim-Bum*, do *Mundo da Lua* e do *Castelo*, Claudia Dalla Verde também participou do *Cocoricó* e do *Disney Club*, além de ser uma das principais roteiristas da *Turma do Gueto*, da TV Record. Foi também professora da Universidade Anhembi Morumbi, depois de ter defendido dissertação de mestrado sobre o cinema de Gilda de Abreu e Vicente Celestino.

Entrevista realizada ao vivo, na casa de Claudia Dalla Verde, na Vila Mariana.

Marcelo Tas: o Professor Tibúrcio e o Telekid se transformaram em um dos maiores homens de TV do Brasil na atualidade. Depois de apresentar o *Vitrine* na Cultura em 1998, Tas foi um dos responsáveis por um dos mais populares programas brasileiros dos últimos anos, o *Custe o Que Custar (CQC)*, versão nacional do homônimo argentino. Além disso, Tas também fez o *Plantão do Tas*, no Cartoon Network, e foi um dos responsáveis pela criação do caderno Link, do jornal *O Estado de S. Paulo*. Em 2014, após sete anos, Tas deixou a bancada do *CQC* – hoje, o programa é conhecido por ter sido um dos primeiros a dar espaço para o presidente Jair Bolsonaro falar sobre o "kit gay", ainda em 2011. Em 2019, Tas voltou à Cultura para uma nova versão do *Provocações*, programa de entrevistas antes comandado pelo irreverente Antônio Abujamra.

Entrevista realizada ao vivo, na redação da TV Bandeirantes.

Luciene Grecco: uma dos quatro cenógrafos do *Castelo*, Luciene Grecco é a responsável pelos banquinhos mágicos e pelas milhares de portinhas da cozinha da casa de Nino. Depois de trabalhar na Cultura até 2001, colaborando com programas como o *Musikaos*, Luciene diversificou seu portfólio trabalhando com teatro, cinema e programas institucionais, além de dar cursos de cenografia em seu ateliê em São Paulo.

Entrevista realizada ao vivo, no ateliê de Luciene Grecco, na Vila Madalena.

Eliana Fonseca: parceira de Cao Hamburger nos tempos da ECA, Eliana construiu uma carreira como atriz e diretora – ela é a diretora de *O martelo de Vulcano*, filme originado da série *Ilha Rá-Tim-Bum*. Além disso, é professora de roteiro no Serviço Nacional do Comércio (Senac).

Entrevista realizada ao vivo, no estúdio de uma série dirigida por Eliana ainda inédita, no bairro da Barra Funda.

Ciça Meirelles: mulher do diretor Fernando Meirelles e uma das passarinhas, Ciça se dividiu nos anos seguintes ao *Castelo* entre o teatro, o balé, os filhos e as pesquisas de roteiro – ela colaborou com a série *Os Experientes*, da TV Globo, dirigida por Fernando e seu filho Quico.

Entrevista realizada por telefone, em São Paulo.

Beth Carmona: diretora de programação da Cultura, Carmona deixou a emissora em 1997, ainda na gestão de Jorge da Cunha Lima. Além de presidir a TV Educativa do Rio de Janeiro (TVE) entre 2003 e 2007, sendo responsável por *Um Menino Muito Maluquinho*, Carmona se tornou uma ativista pela programação infantil de qualidade, sendo uma das criadoras do Midiativa, grupo que discute a TV para crianças e adolescentes.

Entrevista realizada ao vivo, no escritório de Beth Carmona, no Itaim.

Roberto Muylaert: depois de deixar a Cultura, em fevereiro de 1995, Roberto Muylaert foi secretário de Comunicação Social no governo de Fernando Henrique Cardoso. Foi também o editor da revista *Ícaro*, distribuída pela companhia de aviação Varig, e presidente da

Associação Nacional de Editores de Revistas (Aner), além de escrever diversos livros de reportagem. Entre eles, *Barbosa: um gol silencia o Brasil* e *1943: Roosevelt e Vargas em Natal*. Em 2018, lançou seu livro de memórias, *Faz pouco tempo*, pela editora Sesi-SP.

Entrevista realizada ao vivo, na casa de Roberto Muylaert, no Alto de Pinheiros.

Apêndice 3 – Lista de episódios

1 – Tchau não, até amanhã
2 – Qual o seu planeta de origem?
3 – Meu nome é Caipora
4 – Quem é quem por aqui?
5 – A cidade dos meus sonhos
6 – Ligeiramente enjoado
7 – Olha o passarinho
8 – Multiplicação
9 – Ninguém gosta de mim
10 – Tudo se transforma
11 – Eu prometo
12 – Folias espaciais
13 – Alguém viu meus sapatos?
14 – Luz, câmera, ação
15 – O som do silêncio
16 – É taça, é raça, é graça
17 – O rei Abacaxi
18 – Xi! Escapou o Saci!
19 – O Nino está ficando verde
20 – Tudo que entra sai
21 – O Nino mudou
22 – Ciúmes, eu?
23 – Não engorda e faz crescer
24 – Mágicas orelhudas
25 – Bobeou, dançou
26 – Pintou sujeira
27 – Léia, a geleia do espaço
28 – Vou aparecer na TV
29 – Asas da imaginação
30 – Feijão maravilha
31 – Quem é Capitão Baleia?
32 – Tem alguém estranho aqui
33 – Com que roupa eu vou?
34 – Levanta a poeira
35 – Quer parar de me olhar?
36 – Felizes para sempre
37 – Pintou sujeira? Tá limpo
38 – Quem procura acha
39 – Sempre cabe mais um
40 – Pintou o maior clima
41 – Snif snif, buá buá, plic plic, chuá chuá
42 – Uma babá nada boba
43 – Travessura de cupido
44 – Bala de coco e doce de leite
45 – Sua majestade, o bebê
46 – Meninos e meninas
47 – O feitiço vira contra o feiticeiro
48 – O dia em que a terra parou
49 – A escola vai até o Nino

50 – Boatos
51 – TV Mania
52 – Zula, a menina azul
53 – Me dá um dinheiro aí
54 – Rá-Tim-Bum
55 – O tambor Bonga Bonga
56 – Lar doce lar
57 – Pegadas pré-históricas
58 – É proibido entrar com animais
59 – Raios e trovões
60 – O tesouro dos desejos
61 – A Caipora dá o fora
62 – Em busca do tempo perdido
63 – Eugênio, o gênio
64 – Todo dia pode ser Natal
65 – Alimentação
66 – Quem canta seus males espanta
67 – Entrei de gaiato num veleiro
68 – Um sorriso eterno
69 – Praia
70 – Cometa
71 – Beleza
72 – Uma onda no mar
73 – Lágrima de crocodilo
74 – Sonho
75 – Gincana de Páscoa
76 – Gravidez
77 – Asas
78 – A Terra é uma esfera
79 – Nino x Nino
80 – Dicionário
81 – Leite
82 – T de Tíbio, P de Perônio
83 – A bolinha do vestido
84 – Ver para crer
85 – Relações familiares
86 – O palhaço quem é?
87 – Extra, extra!
88 – Et cetera
89 – Lua/Sol
90 – O dono do Castelo

Apêndice 4 – Ficha técnica dos quadros

Tíbio e Perônio
Dois irmãos gêmeos e cientistas dão às crianças conceitos sobre saúde, corpo humano e ciências
Atores: Flavio de Souza e Henrique Stroeter
Direção: Hugo Prata
Roteiro: Flavio de Souza
Trilha sonora: Hélio Ziskind

Porque Sim Não é Resposta
Saído de dentro de um computador, o menino Telekid tenta dar respostas às perguntas de Zequinha
Atores: Marcelo Tas
Direção: Marcelo Tas, Arcângelo Mello Júnior e Ney Marcondes
Roteiro: Marcelo Tas
Trilha sonora: Hélio Ziskind

Como Se Faz?
Vídeos curtos mostram como objetos diferentes, como guarda-chuva, disco e tijolo, são fabricados
Direção: Renato Fernandes e Philippe Barcinski
Roteiro e trilha sonora: Wandi Doratiotto

Lavar as Mãos
Clipe que incentiva as crianças a praticar a higiene pessoal
Direção: Eduardo "Xocante" de Barros
Trilha sonora: Arnaldo Antunes

Lana e Lara
Duas fadinhas irmãs que vivem no lustre do *Castelo* e propõem enigmas para si mesmas, voltados para os espectadores mais novinhos
Atores: Fabiana Prado e Teresa Athayde
Direção: Regina Rheda
Roteiro: Claudia Dalla Verde
Trilha sonora: Hélio Ziskind

Marionetes
Quadro que mostra, com músicas e danças típicas, um pouco da cultura de diversos países ao redor do mundo
Atores: Manoel Kobachuk e Eduardo Dal Molin
Direção: Renato Fernandes
Trilha sonora: Luiz Macedo

Morgana
Herdado do *Rá-Tim-Bum*, o quadro da Bruxa Morgana conta a história de 6 mil anos da civilização humana, com uso de bonecos, fantoches e recursos audiovisuais
Atores: Rosi Campos e Luciano Ottani
Direção: Eliana Fonseca
Roteiro: Claudia Dalla Verde, Victor Navas e Fernando Bonassi

Mau e Godofredo
Com enigmas verbais, trava-línguas e curiosidades, Mau e Godofredo têm a missão de ensinar língua portuguesa e raciocínio lógico às crianças
Atores: Álvaro Petersen Jr. e Cláudio Chakmati
Direção: Renato Fernandes
Roteiro: Claudia Dalla Verde
Trilha sonora: Lulu Camargo

Dedolândia
Onze dedos cantores fazem operações matemáticas ao som do *rockabilly* criado por Fernando Salem, mostrando contas de somar, dividir e subtrair
Animação: Marcos Bertoni
Direção: Renato Fernandes
Trilha sonora: Fernando Salem

Cabine
Quadro gravado em locações externas, com opiniões de crianças sobre o que acontece no Castelo

Som dos Quadros
Quadros famosos são compostos pouco a pouco com os elementos que os compõem, com ajuda de computação gráfica
Trilha sonora: Fabio Golfetti

Poesias Animadas
Catorze animações diferentes mostram às crianças poesias da literatura brasileira, lidas pelos personagens do *Castelo*
Animação: Kiko Mistrorigo e Célia Catunda

Poesias: Arnaldo Antunes, Vinicius de Moraes, Manuel Bandeira, Paulo Leminski, Ferreira Gullar e Cecília Meireles
Trilha sonora: Paulo Tatit e Sandra Peres

Músicas do Mundo Todo
Com uma máquina criada pelo Dr. Victor, as crianças podem conferir símbolos típicos de diferentes países ao redor do globo terrestre
Animação: Arnaldo Galvão, Flávio Del Carlo e Ricardo Dantas
Trilha sonora: André Abujamra

Mãos Pintadas
Com mímica, as mãos pintadas mostram às crianças diferentes animais, de modo que elas mesmas possam imitar o quadro em casa
Atores: Alberto Gauss
Direção: Renato Fernandes
Trilha sonora: Paulo Tatit e Sandra Peres

Esportistas Mirins
O quadro traz crianças fazendo movimentos diferentes e praticando esportes
Direção: Regina Rheda, Christiano Metri e Fernando Coster
Trilha sonora: Fernando Salem, Ná Ozzetti, Vange Leonel, Theo Werneck, Maurício Pereira e Virginia Rosa

Comentam Quadros
A cada programa, um quadro novo aparece no hall do Castelo, que é comentado pelo trio de crianças, com o objetivo de mostrar o universo das artes plásticas para os espectadores
Atores: Luciano Amaral, Cinthya Rachel e Fredy Állan

Bailarinos
A fim de despertar na criança a vontade de se mexer, o quadro mostra bailarinos nos mais diferentes ritmos musicais
Coreografia: Suzana Yamauchi
Direção: Anna Muylaert
Trilha sonora: Luiz Macedo

Instrumentos
Diferentes músicos exibem no ninho do Castelo o som de vários instrumentos, mostrando à criança que o som pode ensinar coisas

Atores: Dilmah Souza e Ciça Meirelles
Direção: Renato Fernandes
Trilha sonora: Hélio Ziskind

Curumins
Narradas pela Caipora, as histórias dos curumins recuperam lendas indígenas brasileiras, mostrando a relação dos índios com a natureza
Atores: Jonatas Martim e Luan Ferreira
Direção: Philippe Barcinski
Narração: Patricia Gasppar
Roteiro: Tacus
Trilha sonora: Paulo Tatit e Sandra Peres

Pintor
Mais um quadro do *Castelo* que busca estimular o interesse das crianças por artes plásticas
Atores: Rui Amaral e Jejo Cornelsen
Direção: Renato Fernandes
Trilha sonora: Rodolfo Stroeter

Circo
Mostra crianças fazendo números circenses, como contorcionismo, malabarismo e cama elástica
Artistas: Projeto Enturmando da Secretaria da Criança, Família e Bem-Estar Social do Estado de São Paulo
Direção: Regina Rheda

Bichos
Em um quadro negro do castelo, surgem animações com bichos em diversas situações
Animação: Jarbas Agnelli
Trilha sonora: Jarbas Agnelli e André Abujamra

Ratinho
Quadro que mostra um ratinho bem-humorado tomando banho, reciclando lixo ou escovando os dentes, buscando incentivar a higiene pessoal nas crianças
Animação: Marcos Magalhães
Trilha sonora: Hélio Ziskind

Pentagrama
Bailarinos dançam como se fossem notas vivas em uma partitura, tentando mostrar à criança que nem sempre o estímulo visual é o que vai lhe ensinar coisas sobre o mundo
Direção: Renato Fernandes
Trilha sonora: Hélio Ziskind

Músicos Mirins
Mostra crianças tocando em orquestras, corais, fanfarras e instrumentos musicais diversos
Direção: Renato Fernandes

O Desenhista Mágico
Desenho que vai se formando enquanto uma locução em *off* se pergunta o que ele poderia ser, em um exercício de percepção visual
Animação: Flávio Del Carlo, Arnaldo Galvão e Ricardo Dantas
Trilha sonora: Luiz Henrique Xavier

Geometria
Dentro de uma caixa preta, formas geométricas bidimensionais e tridimensionais transformam-se em objetos do cotidiano da criança
Animação: Flávio Del Carlo

Notas e referências

[1] Entrevista para o G1. Disponível em: <http://g1.globo.com/sao-paulo/noticia/2015/01/publico-madruga-na-fila-para-ultimos-dias-da-mostra-castelo-ra-tim-bum.html>.

[2] Relom, Mônica. "Moradores do Jardim Europa fazem abaixo-assinado contra o MIS-SP". *O Estado de S. Paulo*, 21 set. 2014. Disponível em: <https://sao-paulo.estadao.com.br/noticias/geral,moradores-do-jardim-europa-fazem-abaixo-assinado-contra-o-mis,1563911>. Acesso em: 25 jul. 2019.

[3] Aguilhar, Ligia. "Conheça a tecnologia por trás da exposição do *Castelo Rá-Tim-Bum*". Disponível em: <http://blogs.estadao.com.br/link/conheca-a-tecnologia-usada-na-exposicao-Castelo-ra-tim-bum/>.

[4] Em inflação corrigida pelo índice IGP-M, da Fundação Getúlio Vargas, o valor hoje corresponderia a cerca de R$ 24,1 milhões, em consulta realizada no *site* do Banco Central do Brasil. Disponível em: <https://www3.bcb.gov.br/CALCIDADAO/jsp/index.jsp>.

[5] Fundação Padre Anchieta. *Cultura 20 anos*. Org. Walmes Nogueira Galvão e Waldimas Nogueira Galvão. São Paulo: Imesp, 1989, p. 23.

[6] Morais, Fernando. *Chatô, o rei do Brasil*. 2. ed. São Paulo: Companhia das Letras, 1996, p. 677.

[7] Fisch, Shalom M.; Truglio, Rosemarie T. (orgs.). *G is for Growing: thirty years of research on children and Sesame Street*. Londres: Taylor & Francis, 2000.

[8] Fundação Padre Anchieta. *Cultura 20 anos*. Org. Walmes Nogueira Galvão e Waldimas Nogueira Galvão. São Paulo: Imesp, 1989, p. 44-45.

[9] Lo Prete, Renata. "RTC vai brigar pelos índices de audiência". *Folha de S.Paulo*, 9 jun. 1986.

[10] Lima, Jorge da Cunha. *Uma história da TV Cultura*. São Paulo: Imesp, 2008, p. 55.

[11] Muylaert, Roberto. *Faz pouco tempo – Livres memórias de um comunicador*. São Paulo: Ed. Sesi, 2018, p. 103.

[12] Soares, Isadora Armani. *Para onde vamos, Garibaldo?* Trabalho de Conclusão de Curso de Jornalismo da Pontifícia Universidade Católica de São Paulo (PUC-SP), 2013, p. 30.

[13] Editora Moderna. *Anuário Brasileiro da Educação Básica - 2013*. São Paulo, 2014.

[14] Giannini, Alessandro. "Rá Tim Bum". *Jornal da Tarde*, São Paulo, 9 fev. 1990.

[15] Marques, Fabrício. "O Brasil que as Arcadas vislumbraram". *Pesquisa Fapesp*, v. 102, São Paulo, ago. 2004, p. 54-59.

[16] Belinky, Tatiana. "A difícil arte de educar divertindo". *Jornal da Tarde*, São Paulo, 9 fev. 1990.

[17] Lins da Silva, Carlos Eduardo. "Rá-Tim-Bum usa todos os recursos televisivos". *Folha de S.Paulo*, 3 fev. 1991.

[18] "Rá-Tim-Bum" (carta do leitor). *Jornal do Brasil*, Rio de Janeiro, 11 set. 1990.

[19] Cláudio, Ivan. "Nota dez". *Istoé*, São Paulo, 6 fev. 1991, p. 64-65.

[20] Quental, Paula. "Cao Rá-Tim-Bum". *Istoé Gente*, 24 jan. 2000. Disponível em: <http://www.terra.com.br/istoegente/25/reportagens/rep_cao.htm>. Acesso em: 12 jun. 2019.

[21] Três exemplos de *sitcoms* modernas são *How I Met Your Mother*, *Modern Family* e *Friends*.

[22] Schwartzmann, Annette. "Mundo da Lua ensina sem ser chato". *Folha de S.Paulo*, 6 out. 1991.

[23] Giannini, Silvio. "A TV da criançada". *Veja*, São Paulo, 7 out. 1992, p. 106-08.

[24] Gabrielli, Murilo. "Pequeno notável". *Folha de S.Paulo*, 3 maio 1992.

[25] Giannini, Silvio. "A TV da criançada". *Veja*, São Paulo, 7 out. 1992, p. 106-08.

[26] Nota do autor: tradução livre da frase que encerra o filme *Casablanca*.

[27] "Cultura muda Rá-Tim-Bum". *Folha de S.Paulo*, 30 ago. 1992.

[28] "Cultura aposta na ficção científica". *Folha de S.Paulo*, 27 set. 1992.

[29] Magalhães, Simone. "Ra Tim Bum ganha nova versão em 1993". *O Globo*, Rio de Janeiro, 29 nov. 1992.

[30] "Cultura começa a gravar seu 'Rá-Tim-Bum'". *Folha de S.Paulo*, 30 maio 1993.

[31] Apolinário, Sônia. "'Rá-Tim-Bum' vira um Castelo na TV Cultura". *O Globo*, Rio de Janeiro, 30 maio 1993.

[32] Ristow, Fabiano. "Cao Hamburger estreia nova série infantil 20 anos depois de Castelo Rá-Tim-Bum". *O Globo*. Rio de Janeiro, 10 nov. 2014.

[33] A sinopse foi exposta na mostra do MIS-SP sobre o *Castelo Rá-Tim-Bum* em 2014, como parte do acervo pessoal de Anna Muylaert.

[34] Avenida que corta a cidade de São Paulo ao meio e une a Radial Leste, da zona Leste, ao Minhocão (Elevado Presidente João Goulart, anteriormente conhecido como Elevado Presidente Costa e Silva), na zona Oeste.

[35] "Denise Fraga recusada em teste na TV Cultura". *Folha de S.Paulo*, 11 abr. 1993, TV Folha, p. 2, coluna Ti-Ti-Ti.

[36] Depoimento de Cassio Scapin ao MIS-SP. Disponível em: <http://acervo.mis-sp.org.br/video/cassio-scapin>.

[37] Kawassaki, Carolina. *Making of do Castelo Rá-Tim-Bum: um traço de ousadia na programação infantil da TV.* Trabalho de conclusão de curso em Jornalismo. ECA/USP, São Paulo, 1994, p. 28.

[38] Pouco tempo depois, a Belas Artes se transformaria em Centro Universitário Belas Artes, mudando-se para o bairro da Vila Mariana, onde está hoje.

[39] Matéria exibida no programa *Vitrine*, em 1994. Disponível em: <https://www.youtube.com/watch?v=tugZDzr48f0>.

[40] Depoimento de Freitas ao MIS-SP.

[41] Kawassaki, Carolina. *Making of do Castelo Rá-Tim-Bum: um traço de ousadia na programação infantil da TV.* Trabalho de conclusão de curso em Jornalismo. ECA/USP, São Paulo, 1994, p. 38.

[42] *Vitrine*, 1994. Disponível em: <https://www.youtube.com/watch?v=tugZDzr48f0>.

[43] *Vitrine*, *op. cit.*

[44] Depoimento de Cassio Scapin ao MIS-SP. Disponível em: <http://acervo.mis-sp.org.br/video/cassio-scapin>.

[45] Intervenção Web #42: Zequinha. Disponível em: <https://www.youtube.com/watch?-v=1Bi6tWiu8lA>.

[46] "SBT quer novela brasileira às 21h30". *Folha de S.Paulo*, 18 jul. 1993.

[47] Rodrigues, Aponan. "SBT ocupa estúdio da Tupi". *Jornal do Brasil*, São Paulo, 24 jul. 1993.

[48] Forma de tocar um instrumento de cordas que equivale a um "beliscão" – o efeito é usado para criar a sensação de suspense.

[49] Kawassaki, Carolina. *Making of do Castelo Rá-Tim-Bum: um traço de ousadia na programação infantil da TV*. Trabalho de conclusão de curso em Jornalismo. ECA/USP, São Paulo, 1994, p. 51.

[50] *Ibidem*, p. 52.

[51] O *jackpot* acontece quando uma combinação rara acontece na máquina de caça-níqueis, resultando em muitos dividendos para o jogador.

[52] "Governo não define regras do real". *Folha de S. Paulo*, 9 maio 1994, p. A1.

[53] "Itamar anuncia real para 1º de julho". *O Estado de S. Paulo*, 9 maio 1994, p. A1.

[54] "A tragédia dobrou o Brasil". *Veja*, São Paulo, 11 maio 1994.

[55] Disponível em: <http://www.tudosobretv.com.br/historv/historcabinicio.htm>. Acesso em: 14 jun. 2019.

[56] Disponível em: <http://seriesestatisticas.ibge.gov.br/series.aspx?vcodigo=CD77>. Acesso em: 14 jun. 2019.

[57] Outros dois exemplos são o episódio do Zoológico ("É proibido entrar com animais") e "Quem canta seus males espanta", cuja cena final acontece no Theatro Municipal de São Paulo.

[58] Brandalise, Vitor Hugo. "Vila dos sonhos, e da TV, está protegida". *O Estado de S. Paulo*, 17 set. 2009.

[59] Depoimento de Fabiana ao MIS-SP.

[60] Mardel, Giovanna. "'É o personagem mais importante da minha vida', diz Rosi Campos sobre Morgana". *Revista Crescer*, 5 set. 2014. Disponível em: <https://revistacrescer.globo.com/Castelo-Ra-Tim-Bum-A-Exposicao/noticia/2014/09/e-o-personagem-mais-importante-da-minha-vida-diz-rosi-campos-sobre-morgana.html>. Acesso em: 25 jul. 2019.

[61] Medeiros, Jotabê. "'Não existe lei para fazer música', diz Arnaldo Antunes". *O Estado de S. Paulo*, Caderno 2, 9 fev. 1999, p. D5.

[62] Kawassaki, Carolina. *Making of do Castelo Rá-Tim-Bum: um traço de ousadia na programação infantil da TV.* Trabalho de conclusão de curso em Jornalismo. ECA/USP, São Paulo, 1994, p. 32.

[63] "'Castelo Rá-Tim-Bum' ganha versão em livro". *Folha de S.Paulo*, Ilustrada, 21 jun. 1995. Disponível em: <https://www1.folha.uol.com.br/fsp/1995/6/21/ilustrada/15.html>. Acesso em: 14 jun. 2019.

[64] Schwarcz, Luiz. "Desastres na Companhia - 3". Blog da Companhia. Disponível em: <http://historico.blogdacompanhia.com.br/2011/09/desastres-na-companhia-3/>. Acesso em: 25 jul. 2019.

[65] Costa, Mônica Rodrigues. "*Castelo Rá-Tim-Bum* ganha versão em livro". *Folha de S.Paulo*, 21 jun. 1995.

66 Monteiro, Lúcia; Azevedo, Silvana. "Castelomania". *Veja São Paulo*, 12 abr. 2000.

67 Melo, Josimar. "Sushi e massas se atraem no Kuru Kuru". *Folha de São Paulo*, 1º abr. 1994.

68 Depoimento da atriz ao MIS-SP.

69 Medição do Ibope publicada no *TV Folha* em 19 de junho de 1994.

70 Medições do Ibope publicadas no *TV Folha* entre junho e outubro de 1994, referentes aos meses de maio, junho, julho e agosto daquele mesmo ano.

71 Schwartsman, Annette. "Cultura usa magia para ensinar em Castelo". *Folha de S.Paulo*, 8 maio 1994, TV Folha.

72 Sanches, Neuza. "Pelo QI Infantil". *Veja*, 11 maio 1994.

73 Ricca, Regina. "O *Castelo* da molecagem". *Jornal da Tarde*, 9 maio 1994.

74 Resende, Juliana. "*Castelo Rá-Tim-Bum* diverte e ensina". *O Estado de S. Paulo*, 9 maio 1994.

75 Folha De S.Paulo. "TV Folha – Audiência". Medições do Ibope registradas nas edições de julho a setembro do periódico.

76 Depoimento de Stroeter ao MIS-SP. Disponível em: <http://acervo.mis-sp.org.br/video/henrique-stroeter>.

77 Bargas, Diego. *Revista Quem*, 30 jul. 2014. Disponível em: <https://revistaquem.globo.com/QUEM-News/noticia/2014/07/siomara-schroeder-etcetera-foi-uma-das-coisas-mais-emocionantes-da-minha-carreira-e-das-mais-dificeis-tambem.html>. Acesso em: 25 jul. 2019.

78 Kawassaki, Carolina. *Making of do Castelo Rá-Tim-Bum: um traço de ousadia na programação infantil da TV.* Trabalho de conclusão de curso em Jornalismo. ECA/USP, São Paulo, 1994, p. 3.

79 Monteiro, Lúcia; Azevedo, Silvana. "Castelomania". *Veja São Paulo*, 12 abr. 2000.

80 Fonseca, Celso. "Pelos poderes do Nino!" *Istoé*, 30 abr. 1997, p. 152-53.

81 Depoimento de Cassio Scapin ao MIS-SP.

82 "O pequeno senhor do *Castelo*". *Veja São Paulo*, 20 ago. 1997, p. 12-17.

83 Souza, Okky de. "Agora é ao vivo". *Veja*, 2 abr. 1997, p. 118-20.

84 Antenore, Armando. "Castelo Rá-Tim-Bum vai virar filme". *Folha de S.Paulo*, 5 mar. 1995.

85 Anselmo, Paula. "*Castelo Rá-Tim-Bum* chega à telona em superprodução". *Jornal da Tarde*, 25 maio 1999, p. 1C.

86 Finotti, Ivan. "*Castelo* Ho-lly-wood". *Folha de S.Paulo*, 30 mar. 1999.

87 Merten, Luiz Carlos. "Nino criança é a alma do filme que não teme ousar". *O Estado de S. Paulo*, 31 dez. 1999.

88 Oricchio, Luiz Zanin. "Ver o *Castelo* no cinema é programa obrigatório". *O Estado de S. Paulo*, 31 dez. 1999.

89 Sereza, Haroldo. "*Castelo Rá-Tim-Bum*, o filme, supera série de TV". *Folha de S.Paulo*, 1º jan. 2000.

90 Graebel, Laurel. "Family Fare". *The New York Times*, 10 ago. 2001.

91 "Desgaste do governo derruba Muylaert". *Folha de S.Paulo*, 31 mar. 1995.

92 Folha De S.Paulo. 1º jan. 1995, p. A1.

93 Lima, Jorge da Cunha. *Uma história da TV Cultura*. São Paulo: Imprensa Oficial, 2008, p. 217.

94 *Ibidem*, p. 218.

[95] *Ibidem*, p. 231.

[96] *Ibidem*, p. 219.

[97] Simões, Priscila. "*Castelo*: da TV para os livros e CD-ROM". *Jornal da Tarde*, 19 jun. 1995.

[98] Fonseca, Celso. "Pelos poderes do Nino!". *Istoé*, São Paulo, 30 abr. 1997, p. 152-53.

[99] Direitos autorais se referem à criação de uma obra, enquanto os direitos conexos se referem à participação em uma obra artística, com voz ou interpretação, por exemplo. Os direitos de imagem, por fim, tratam das imagens dos artistas utilizadas tanto nas transmissões como em produtos licenciados.

[100] "Cultura cede Cocoricó e Castelo à Globo, em troca do Sítio de Lobato". *O Estado de S. Paulo*, 26 mar. 2013.

[101] Coluna "Sem Intervalo", *O Estado de S. Paulo*, 1º ago. 2013.

[102] Costa, Francisco Martins. "TV Cultura prepara produção de novas séries". *Folha de S.Paulo*, 14 abr. 1997.

[103] Lima, Jorge da Cunha. *Uma história da TV Cultura*. São Paulo: Imprensa Oficial, 2008, p. 222.

[104] Ribeiro, Marili. "'Rá-Tim-Bum' terá episódios inéditos". *Jornal do Brasil*, Rio de Janeiro, 13 dez. 1997.

[105] Gama, Júlio. "Cultura começa a produzir *Fazenda Rá-Tim-Bum*". *O Estado de S. Paulo*, 5 nov. 1997.

[106] Scalzo, Mariana. "Crianças montam comitê antiadulto". *Folha de S.Paulo*, 20 abr. 1997, TV Folha.

[107] França, Carla. "Cultura terá papo adulto com crianças". *O Estado de S. Paulo*, 27 jul. 1997.

[108] *Uma história da TV Cultura*, p. 232.

[109] Priolli, Gabriel. "Ambiente instável". *Jornal da Tarde*, 17 jun. 1998, p. 5C.

[110] Elias, Eduardo. "Crise ameaça *Ilha Rá-Tim-Bum*". *O Estado de S. Paulo*, 7 fev. 1999, p. T5.

[111] Castro, Daniel. "Cultura quer faturar R$ 10 milhões com *Ilha*". *Folha de S.Paulo*, 15 abr. 2002.

[112] Brasil, Ubiratan. "'Castelo Rá-Tim-Bum, o Musical' chega a São Paulo". O Estado de S. Paulo, 4 set. 2017. Disponível em: <https://cultura.estadao.com.br/noticias/teatro-e-danca,castelo-ra-tim-bum-o-musical-chega-a-sao-paulo,70001965280>. Acesso em: 25 jul. 2019.

[113] Lima, Isabelle Moreira. "Cult infantil, *Castelo Rá-Tim-Bum* volta hoje à TV". *Folha de S.Paulo*, 30 jun. 2014.

[114] Soares, Isadora Armani. *Para onde vamos, Garibaldo?* Trabalho de Conclusão de Curso de Jornalismo da Pontifícia Universidade Católica de São Paulo (PUC-SP), 2013, p. 64.

Agradecimentos

Diz o ditado (ou o meu pai, um dos dois) que todo homem tem três missões em sua vida: escrever um livro, plantar uma árvore e criar um filho. Ainda é cedo para filhos, e à parte os experimentos com feijões no papel higiênico nas aulas de ciências, nunca plantei uma árvore que se preze. Coube começar a lista de missões pelo mais difícil. A princípio, era mais um mero requisito acadêmico para me formar em Jornalismo na Escola de Comunicações e Artes da Universidade de São Paulo. Entre o TCC e este livro, que dividem o mesmo nome, um intervalo de cinco anos.

Alguns momentos foram glamorosos – dividi uma Coca-Cola com Penélope num bar na rua Augusta, ganhei uma carona da Celeste, do ABC até Perdizes, e pude ouvir o Dr. Victor me chamando de "Bruninho" no meio da exposição do MIS-SP (ou de seus intérpretes, mas quem liga?). Rachei um chocolate com a produtora Bia Rosenberg e chorei ao final da conversa com o artista plástico Silvio Galvão. Outros instantes, nem tanto: dias e madrugadas fuçando acervos de jornais, revisando datas, preparando e transcrevendo entrevistas, mudando a estrutura de capítulos. Muitas vezes, foi um trabalho solitário, mas, como diria Antonio Carlos Jobim, "é impossível ser feliz sozinho". Alguns agradecimentos, então, se fazem aqui necessários.

Em primeiro lugar, gostaria de agradecer aos entrevistados Álvaro Petersen Jr., André Sturm, Angela Dippe, Anna Muylaert, Beth Carmona, Bia Rosenberg, Cao Hamburger, Carlos Alberto Gardin, Ciça Meirelles, Claudia Dalla Verde, Cinthya Rachel, Dionisio Jacob (Tacus), Eliana Fonseca, Eduardo Silva, Fernando Gomes, Flavio de Souza, Hélio Ziskind, Jésus Seda, Júlia Tavares, Lilia Moritz Schwarcz,

Luciano Amaral, Luciano Ottani, Luciene Grecco, Luiz Macedo, Marcelo Tas, Pascoal da Conceição, Patricia Gasppar, Philippe Barcinski, Regina Soler, Roberto Muylaert, Sérgio Mamberti, Silvio Galvão e Zélia Cavalcanti. A cada um deles, meu muito obrigado por dividirem suas memórias, seus conhecimentos e suas opiniões não só sobre o *Castelo*, mas também sobre a TV Cultura, a televisão brasileira e o Brasil, de um modo geral. E claro, por terem feito o programa que marcou minha infância e, de certa forma, moldou meu caráter – agradecimento, claro, estendido aos milhares de profissionais que fizeram as outras produções citadas neste volume.

A Lívia Furtado, Maria Carolina Gonçalves, Carolina Kawassaki e Isadora Soares, por estabelecerem a trilha para que este livro se tornasse o que é. Sem suas pesquisas, o trabalho para escrever *Raios e trovões* seria muito mais complicado. A Demócrito Mangueira Nitão Júnior e José Maria Pereira Lopes, pelo acesso aos arquivos da TV Cultura, que enriqueceram com detalhes preciosos este trabalho. Aos responsáveis pelo Acervo do Estadão, cuja hemeroteca consultei muito para este livro. O mesmo vale para o TV Pesquisa, projeto da PUC-Rio, que tem recortes históricos sobre a televisão brasileira. E também à equipe do Museu da Imagem e do Som de São Paulo, que elaborou a exposição de 2014 com rico acervo.

Um abraço para Rosana de Lima Soares, orientadora que ajudou a formatar este *Raios e trovões*, ainda enquanto projeto de conclusão de curso na ECA/USP. Além dela, meus abraços em Leandro Ciccone e Wagner Souza e Silva, mestres em momentos distintos da vida acadêmica, pelos papos bem-humorados e conselhos úteis. Também agradeço a Daniel Lameira, pela orientação extraoficial dada a este livro nos últimos anos, e a Manoel Magalhães, agente literário informal e companheiro de sinuca. Um muito obrigado a Cassiano Elek Machado, que me apresentou a esta Summus Editorial. E, claro, à editora Soraia Bini Cury, que acolheu este projeto, bem como à equipe da editora.

Um obrigado aos companheiros de trabalho que me acompanharam nesta jornada. A Gustavo Abreu, meu editor no iG Jovem, que acendeu neste repórter a fagulha de escrever sobre o *Castelo*, em uma reportagem nunca concluída. A Murilo Roncolato, Ligia Aguilhar, Camilo Rocha, Matheus Mans, Claudia Tozetto, Carolina Ingizza, Giovanna Wolf e Bruno Romani, parceiros em cafés e parmês do Jhony's, bem como em pautas no *Link*, o caderno de tecnologia do Estadão. A Fernando Scheller e Julio Maria, pelas indicações de veteranos. A Carla Peralva, pela lição de celebrar as pequenas vitórias.

Menção mais que especial a Marcelo Costa, editor, mestre e amigo, que me ensinou a fazer a lição de casa antes de cada entrevista, tratando cada conversa como arte – além de algumas aulinhas sobre cervejas e vida. Agora é a vez de o Martín assistir ao *Castelo*. Ainda, a Tiago Trigo, Marco Tomazzoni, Tiago Agostini, Bruno Dias e Renato Moikano, pelo truco que ainda não saiu, mas também surgiu deste livro.

A Tiago Oliveira, André Bina, Gustavo Silva Mariano, Fausto Coutinho Lourenço e Guilherme Bottino, pelas Cocas e pelos discos de vinil. "Zé no Céu e Coca na Terra" para todos nós. A Tássia Kastner, pelo incentivo para começar este livro. Aos "advogados" Giovanna Ventre e Yuri Gallinari, a quem tantas vezes consultei com dúvidas legais. Lembro-me aqui ainda de todos os amigos que dividiram comigo seu entusiasmo, interesse ou saber pelo *Castelo Rá-Tim-Bum*, que me ajudaram com ideias, pausas ou releituras deste livro. Dois deles merecem uma menção mais que especial: Vinicius Felix, companheiro de autoajuda das madrugadas pelo Facebook, e Ana Carolina Neira, que, em cervejas e cafés "metafóricos", por vezes esteve mais animada do que eu mesmo com este livro. Obrigado por não me deixarem jogar a toalha.

Por fim, mas de maneira nenhuma menos importante, como expliquei em algum almoço lá em 2014, preciso agradecer a Beatriz Capelas, a "pentelha" que transformou a casa dos Capelas em uma eterna festa. Ela me acompanhou em leituras de capítulos de um programa que não faz parte da sua infância e assistiu comigo aos episódios do *Castelo* em noites insones e tardes sem nada para fazer. Além dela, aos meus pais, Luiz Antonio e Silvina (ou melhor: Ludy e mamãe), por inúmeras razões: de me colocarem para assistir à Cultura quando eu ainda usava fraldas até todo o suporte e ajuda braçal para a realização deste *Raios e trovões*, sugerindo perguntas, transcrevendo entrevistas e revisando a primeira versão destas mal traçadas linhas. Por aguentarem os humores, durante cinco anos, de um autor em construção. Acima de tudo, por acreditarem em mim e me criarem com a melhor educação que um filho poderia receber.

Índice onomástico

D

E

www.gruposummus.com.br

IMPRESSO NA
GRÁFICA
sumago
sumago gráfica editorial ltda
rua itauna, 789 vila maria
02111-031 são paulo sp
tel e fax 11 2955 5636
sumago@sumago.com.br